JN220160

源平布引滝

げんぺいぬのびきのたき

義太夫節浄瑠璃未翻刻作品集成 81

義太夫節正本刊行会 編

玉川大学出版部

表紙図版　義太夫節浄瑠璃全盛期の竹本座と豊竹座
（早稲田大学演劇博物館蔵『竹豊故事』より）

刊行にあたって

浄瑠璃が板本として出版され始めてから、ほぼ四百年の時が経つ。その間に刊行された作品は千数百点にも達するであろう。わが国の代表的劇作家近松門左衛門の極く初期の作品を以て、古浄瑠璃と当流（新）浄瑠璃とに二分するのが浄瑠璃史の定説であるが、古浄瑠璃時代の作品（約五百点）は全てといってよいほど活字化されている。当流浄瑠璃となると、近松を初め、紀海音、錦文流、西沢一風、福内鬼外、菅専助の六作者に関してはそれぞれ全集が刊行されているが、それ以外の作者のものは文学全集等に収められた名作と称されるものに限られている。活字化された作品が極めて少ないのが現状である。

近代になると明治維新以前の書物が活字化されることとなる。この潮流の中に浄瑠璃名作も含まれ、その数は少なくない。だが名作の重複といわざるをえない。

近世芸能の浄瑠璃は近代になっても文楽の名のもと、舞台の芸能として隆盛を続けた。大阪という一都市に限らず、全国に文楽人口は充ち満ちていたといっても過言ではない。文楽を支える人口の相当数は浄瑠璃を習得する人口とも合致した。文楽は太夫、三味線、人形の三業によって成り立つ芸能であるが、太夫と三味線だけで浄瑠璃を聞かせること、今でいう素浄瑠璃でも十分満足できる。玄人は素浄瑠璃の会を開催する。素人もまた己の芸を披露することを試みる。これは浄瑠璃が音曲として勝れた表現技法を会得していることによるが、さらにいえば語られる内容が聴く者の心を揺り動かすためである。言葉を替えていえば文学としての鑑賞にも十分耐え得る内容を浄瑠璃が備えているということであろう。

浄瑠璃が語られ始めてさほど時を経ぬ時代から、文学として享受された記録は、全国各地に拾うことが出来る。何故か。手短にいおう。浄瑠璃は近世庶民の倫理観、人生観を構築していく上で必読書であった。それ故に近代の出版物に多く含まれたのである。

近世から近代まで、わが国の一般庶民に愛好された浄瑠璃、そこで展開された思想は、血肉となって伝えられたといってもよい。現代は如何であろうか。断絶があるという外はない。理由は浄瑠璃との接触の機が非常に薄くなったためである。この不幸な状況を打破すべく、私どもは義太夫節正本刊行会を平成十年に組織して活動を始めた。未翻刻作品を世に送り出し、あわせて戦前に翻刻があるものの手に入りにくく、今や未翻刻と同様の作品も対象とすることとした。

先に述べた古浄瑠璃の作品や浄瑠璃作者の全集は学術出版の形をとったが、ここに提供する「集成」は、誰もが一度は手にとらねばならなかった小・中学校の教科書を意識した造本にした。近代日本における個性あふれる教育機関として知られる玉川大学の出版部において、この「集成」が世に出ることも、何かの巡り合わせではなかろうか。このことは会員一同の喜びでもあり、今は読者の一人でも多からんことを祈る気持ちである。

右は第一期刊行時の趣意に多少の手を加えたもので、今も当初の意識を持続している。

第二期に至り賛同した数人の若い研究者の参加を得、第三期以降は更に賛同者を増加した。刊行会の発展の上でも心強く、学問の継承の上でも、大変喜ばしいことである。

＊

ここまでが、第七期の刊行決定直後に、ご他界なさった鳥越文蔵先生のご執筆によるものである。
今回も、「集成」の続刊を準備する間に、日本学術振興会から令和四年度・五年度科学研究費補助金及び令和六年度学術研究助成基金助成金の交付を受け、浄瑠璃正本の調査、デジタル・アーカイブ拡充に向けてのデータ作成を進めることができた。さらに日本学術振興会令和六年度科学研究費補助金研究成果公開促進費の助成にも恵まれたので、引き続き玉川大学出版部により「義太夫節浄瑠璃未翻刻作品集成」第八期として、十一作を刊行する運びとなった次第である。
なお、第八期の原稿作成最中の令和四年に、正本刊行会において長くご指導くださった内山美樹子先生が逝去された。先生からは「集成」の収載作品として、戦後数十年間に刊行された文学全集等に収載された作品も近年では入手しにくくなってきたことを鑑み、それらに収載された翻刻作品も改めて取り上げるべきとの方針をお示しいただいた。本研究会はその方針にのっとり、今期以降作品を選定していくこととした。

終わりにこの「集成」刊行にあたって底本を提供してくださった、大倉集古館、国立劇場、松竹大谷図書館、天理大学附属天理図書館、東京都立中央図書館加賀文庫、文楽協会豊竹山城少掾文庫、早稲田大学演劇博物館、諸本の閲覧を許された所蔵者・機関各位に篤く御礼を申し上げる。

令和六年　六月

義太夫節正本刊行会

目次

凡例

一、底本　出来得る限り初板初摺の七行本を用いた。

一、作品名　内題によった。

一、校訂方針　底本を忠実に翻刻することを原則としたが、次のような校訂を施した。

1　丁付　丁移りの箇所は本文中に「（　）」を施し、その中に実丁数を洋数字で示し、表「オ」、裏「ウ」の略号を付した。

2　文字　①平仮名、片仮名とも現行の字体を用いた。

②常用漢字表、人名漢字表に収録されているものはその字体を使用することを原則とした。ただし、一部底本の表記に従って複数の字体を使用したものもある。

（例）回／廻　食／喰　杯／盃　竜／龍　涙／涕　婿／壻／聟

③特殊な略体・草体・合字などは表記を改めた。

（例）→様　→部（ただし→夕べ）　→候　→郎

→参らせ候　→給　→也　→こと　→ころ

↓より　↓かしく　↓まゐる　↓さま

④踊字は、原則として平仮名は「ゝ」、片仮名は「ヽ」、漢字「々」に統一した。ただし「〳〵」は底本のままとした。

⑤仮名遣い、清濁、誤字、衍字は底本のとおりとした。

⑥＊は原本の「ママ」の意であるが、極力付さないこととした。

3　譜　墨譜は全て省略したが、文字譜は全て採用し、本文行の右、または振り仮名の右の適切と思われる位置に付した。

4　太夫　語る太夫を指定した略号は、それを「□」で囲い、文字譜の位置に付した。

5　句点　「。」で統一した。

6　破損　底本が破損などにより判読不能の場合は、同板の他本により補ったが、一々断ることはしなかった。

7　改行　本文は曲節等を配慮して適宜改行した。

一、解題　底本の書誌、番付・絵尽の有無（『義太夫年表　近世篇』に依拠）、初演年・劇場、主要登場人物、梗概で構成し、補記として校異本に触れることもある。

源平布引滝

待宵侍従
優美蔵人　**源平布引滝**

檀強の不臣神宗の盛業を妨。邦家陽九の厄に当。一朝馭を失ふて生民塗炭に堕とは。今此時代七十七代後白河ノ院の御宇。赤白の旗飃。鐘鼓も響大内山叡慮穏。ならざりし。源平両家の戦ひいかゞあらんと。南面の簾高々と上させ。玉座をしめてましませば。大納言成忠卿。百司百官座を（1オ）列評義。区なる所へ。滝口の官人罷出。安芸ノ守清盛の使とし。平家の侍参りしと。しらせと倶に出来るは長田の太郎末宗。白木の台に白旗のせ家来に持す首桶を。恐れもなく庭上に畏り。此度。待賢門の軍破れ。源の義朝野間の内海へ逃下りしを。親にて候庄司忠宗。首取て叡覧に備奉る。則是が源氏に伝る白旗也と指上れば。

成忠取て玉座に備へ。叡慮の趣承はり。御階近く立出。末宗近ふと呼寄。汝が親は源（1ウ）氏の譜代。主を討たる高名。君叡感浅からずといへ共。誠や源氏は。多田の満仲より武勇の家筋。一チ類も多からんに待賢門へは出合ずやと。心に含情の詞。末宗から〱と笑ひ。其満仲が末葉に多田の蔵人行綱といふやつ。紀州新宮に隠れ。一トとせ清盛熊野詣の道を遮。既に生捕るへきを運つよく逃延。草を分ケて捜せ共今に行方しれず。有にかいなき頼政は重病。外に近い一類とては木曽の先生義賢計。こやつ元来大腰ぬけ。現在兄の義朝が討るゝに。逃馬（2オ）一ツ疋出さぬ臆病者。おそらく平家の太刀先キにはまけい修羅も叶はずと。広言追従半ン分いはせずイヤこりや長田。此成忠は娘園生を重盛へ遣はし。平家とは親縁者なれ共。清盛の不行跡汝等迄が広言過言。行末何共覚束なし。其首を持帰り宜敷葬り。源氏にも恨を残さぬやう。重盛に云聞せよ。罷立との一チ言に工合違ふて長田の太郎。恩賞褒美も云出し兼。
せめては親の長田には。一ケ国でもくれそな物とつぶやき〳〵。立帰る。
主上は玉座の内よりも。成忠（2ウ）卿を近く召サれ。朕が思ふ子細有リ。木曽の先生義賢を。召シ寄よ
との勅諚にて。御簾さがれば百司百官其旨早く言伝へ。成忠卿も諸共に暫く〳〵次へ立給ふ。
召シに従ひ先ン生義賢衣紋繕ひ逸く。階下に膝を屈すれば。しらせの鈴の。音ト聞へ。勿体なくも天皇は。
御階間近カく出御なり。此度兄義朝が兵乱。其身都に有ながら。出合さる心底。不審さよとの勅命に。
はつと義賢頭をさげ。兄にて候義朝。右衛門督信頼に組し。平家の奢を砕かんと都を騒す。某身不肖な
がら禁庭守護の（3オ）役を蒙り。兄弟迚朝家を捨て味方にも参られず。無念ンの敗北不便の最期。恐れ
ながら御賢察下されよと涙と。倶に奏すれば。君御涙をうかめ給ひ。奢平家は日に栄。頼に思ふ源氏は
亡び。朕が不徳のなすわざと思へば。いとゞ悲しきぞよ。同し源氏の末の子に。多田の蔵人行綱といふ者

有ル由心を合セ義朝が追善供養。跡念比に弔ふべし。蜜に送る布施物と御衣の袖より白旗を。下タし給へば義賢は夢かと計リ走り寄。直キには恐れと大紋の。袖にも余る有がた涙。ハ、、、、はつと庭上へ。頭を摺付ケ三拝有ル。ヤ人に語るな。悟られ（3ウ）なと猶有リがたき詔。折から東門ひらく音ト。平の清盛参内とほの聞コゆれば。あら六ケ敷と帝は玉座へ入御なる内。

安芸守平の清盛天位も恐れぬ我慢の相。御階のもと迄つか〳〵と立入リ。ホウ義賢早くも参ン内。是は公家原も見へぬが。天奏は誰ガ役成ルぞ。イヤ手前も只今参ン内。天奏の公卿は何れか存ンぜず。ムウ貴殿もしらずや。よい〳〵。天奏の役人なくば直キに奏聞申さんと。階上るを義賢引とめ。貴公は安芸ノ守にていまだ昇殿は赦されず。玉座間近くは恐れ〳〵と。いはせも立ずヤア何恐れ。朝敵を亡し叡慮を安くさ（4オ）するは誰レがかげ。余人は格別此清盛に罰も祟もない。小しやくな事をと呵付ケ。又かけ上るを猶引留。忝くも日の御ン神より伝はる。天津皇のまします御座。踏あらそふとは勿体至極。身の程省給へと。

恥しむればくはつとせき上。ヤア爰な源氏の死損(ぞこな)ひ。冥加(めうが)しらずの匹夫(ひつぷ)め。兄義朝と一ッ所にぶち放(はな)す奴(やつ)なれ共。手指(ざし)をひろがぬしほらしさに。見遁(のが)して置ヶを有がたしと思はず。清盛に向ひ案外(あんぐはい)千ン万。今一チ言(ごん)ゆつてみよ。腮(あごた)二つに引さかんと。掴(つかみ)つかん勢(いきほひ)にちつ共臆(おく)せず。イヤ禁庭守護(きんていしゆご)は爰が役義。其階(きざはし)一寸でも足かけて見られよ。禁獄(きんごく)の罪遁(つみのがれ)（4ウ）ずと忍びの柄(つか)に手をかくる。ヤア其腮(あご)をと猶苛(いらち)。飛かゝつて一掴(つかみ)と思へどこなたも名高き大将。寄(よら)ば切ラんの其勢(いきほひ)。ぢり〳〵と付ヶ廻し。既(すで)にあやうく見へたる所へ。成忠卿かけ出給ひ。ヤレ勅諚(ちよくぢやう)有暫(しばら)くと。重(おも)き仰に流石(さすか)の清盛。義賢は猶仁義(じんぎ)の勇士(ゆうし)はつと計リに控(ひか)へゐる。

成忠卿笏(しやく)取リ直し。双方(さうほう)の争(あらそ)ひ君叡慮(えいりよ)をいため給ひ。いづれをいづれと御批判(ひはん)なし。先ッ清盛の直奏(じきそう)。承はれとの綸命(りんめい)と。宣(のたま)ふ内よりイヤ別義(べつぎ)でなし。最前(さいぜん)長田ノ太郎に義朝が首持参(ぢさん)させしに。六条川原へ肆(さらせ)よと有仰はなく。葬(ほうむ)つて弔(とむら)へとは何ンの事。源氏の族(やから)をいたはる勅諚(ちよくぢやう)合点が（5オ）いかぬ。先ッ其節指(せつさし)

上ヶた白旗此方へお戻しあれ。朝家に置クは心元トなし。サア只今請とらんと手詰になれば成忠卿。イヤ其白旗は平家に有て益なし。御殿ンに置クも穢はしと。衛士に云付ヶ。焼捨られしといはせも立ず。ヤア其云訳くらい〳〵。是に源氏の余類もおれば。やつたやら。焼たやら疑しい天子の御心。直キに逢て直キ詮義とかけ上る階の。半過キると玉座の簾さつと上て怒の竜顔。見るよりぞつと身の毛立チ。さしもの清盛目くるめき椽より下へ頭転倒。我カ日の本トの神の徳蹴落し給ふと見へにける。

御簾さがれば清盛は。人心付キすつくと起。へヱ口惜（5ウ）やいづれかはらぬ人間ン。王位迚天からもふらず地からもわかず。位ィおろさば常の凡人。見よ〳〵鳥羽の離宮へ押シ込メ。追ッ付ヶ此怨報はん。一家の好も成忠是切。旗の詮義は義賢とずつと寄レばすつと寄リ。御殿ンでなくばと奥歯に剣。旗はこやつと睨し眼。勅諚ごかしに納る公家。右近の橘左近の桜。中に紅梅指交。花ふみちらす。九重や盛。あらそひ　へ立帰る。

比は如月半の空。雲間に轟雷の音ト。発し始る其日より。心ときめく。気色かな。難波ノ六郎常俊は清盛の下知を請ケ。其名も高き布引の。漲り落る滝壺を。分ケ入見よとの仰にて身（6オ）には腹巻。小手脚当。さしもり丶敷ク出立ッて。岩根岨立ッ岸かげに窺ひ。寄ぞ不敵なる。

跡より山路を。しづ〳〵と立出給ふ小松の重盛。ひつ添来るは高橋判官長常。見分の役承はり。いかつがましく付キ慕ふ。重盛岩根に腰を休め。何ニ高橋。我レ此所へ来りし事。全遊覧慰ならず。又是成ル六郎は。思ひもよらぬ役目を受ケし子細を語らん。父清盛常に弁天を信じ。平家の長久を祈し所。不思議の霊夢を蒙り。此滝壺の中チにて。家の盛衰を心見よとの御告。去ルに依て水練手練の其方に云付クる。併幾尋と知レぬ水底へ分ケ入ル事。（6ウ）例なき大役と。仰に六郎はつとひれ伏。戦場の討チ死も。清盛の御ン心に叶ずば犬死も同然。譬水底にて相果る共。君ン命に従ふは武士の本ン意。御賢慮いため下さるなと詞立派に云放せば。佞人邪欲の高橋も御尤〳〵。いづれの道に相果る共主命。御用意よくば早御出。成ル程雨もおだやみ。御見分の御苦労なき中。若水底にて毒気に当らば。我君にも是がお別れ。ホヽ随分堅固で立帰れ。是にて暫く安否を待ん。はつと計に立上り。彼滝壺に指のぞめば。落滝つせの濤々と渦巻。〳〵立る。

水煙淵水岸に。満々と藍を染なす水の面。岩（7オ）角に飛上り。滝壺きつとねめ付て。まつさかさまに飛入を見るに。肝をひやしける。高橋も負ぬ顔つか〳〵と指寄。ハア、水練も一通りは武士の嗜。難波は適銘人〳〵。併合戦の場にて逆とんぼりもうたれまい。とかく我等が鍛錬した。弓馬の道が肝要と。へらず口いふ折も折いづくよりかは射たりけん。矢一つ来つて重盛の。身を除給へば長絹の。袖をふはとぞぬふたりけり。

高橋見るより立上り。ヤア〳〵者共油断すな。此山陰に忍び者こそござんめれ。君に錆矢を射かけし狼藉。扨出してくゝし上。それ追出せと下知に従ひ良等共。爰よかしこと山陰松が根（7ウ）狩立る。重盛少シも騒せ給はず。かゝる山ン中。狩人なんど徘徊してのそれ矢ならん。是式に驚事ならずと。宣ふ折節山間より追ッ立かこむ曲者は。狩人出立のほくそ頭巾。頬見へわかぬ作り髭。弓矢手挟飛で出有あふ者をはり退投ヶ退。ヤア蠅虫めら。悪ルくたかつて首と胴との二つ物。怪我まくるなと訇たり。高橋いらつて手ぬるし旁。物ないはせそ縄打チ搦めとひしめけ共。動ぜぬ曲者大将めがけ。真一文字につつと寄ル。智勇兼備の重盛公はつたとにらませ給ふにぞ。覚へずしさつてたぢ〳〵〳〵。つまづく所を大勢透さず落合て。組伏縄をぞかけたりける。

邪智深（8オ）き高橋判官。曲者を御前に引すへ。定てこいつ源氏の余類。一トとせ清盛公熊野詣の折から狼藉せし。多田の満仲が末葉多田ノ蔵人行綱といふやつならん。サア有リやうに白状ひろげと。星をさゝれてはつととむね。遁れるたけはと膝立テ直し。コハ思ひ寄ざる御尋。某義は此辺の狩人。年シ経鹿をめがけ切て放したそれ矢。思はずも御大将の袖を貫しは。言語に余る不調法。何とぞ此場を遁れんと狼藉の働も。妻子を育む命の惜さ。御了簡の筋もあらば冥加に余る仕合と。地に鼻付ケて詫れ共ヤアぬけ〳〵とした云訳其（8ウ）手をくはふや。頬を彩て作リ髭。ほくそ頭巾で面体を隠すは源氏の残党に極つた。あやちの知レぬしやつ頬。滝壺で洗ふて見んと。引立行を重盛ヤレ待しばしと呼とゞめ。高橋が疑ひ尤なれ共コリヤ是を見よ。当代用ぬめづらしき鏑矢と。とつくと見給ひ。ム、彼レが白状の通り猟師ならん。頬を隈取リ隠せしは。狐を釣者狐の皮をかぶると聞。人間ンに怖る獣。姿を隠すは一理有去ながら。うろたへた猟師め。僅の小鹿一ッ疋を目かけ。本ン望とげんとは小い〳〵。近ン国他国の狩人を集め。今日本にはびこる。熊猪の一チ類を。一トつに集めて打取ふとはなぜ思はぬ。迚も一人ンにて（9オ）狩出す事叶はずばな。弓を袋に治て時節を待テ。判官縄解追ッ払へと。寛仁大度の仰には。さしもの行綱今更に。面目なくも顔隠す。

高橋は呑込ず。ヤア余り御了簡過る。今草を分ケて尋る多田の蔵人行綱ならば。助ケた跡で清盛公の御咎。

仰分ヶられ有べきや。ホ、譬行綱にもせよ。ねらひし矢つぼははづれめし捕る、程の運命。何程の事仕出さん。父清盛の咎メあらば。日本は庭籠の鳥。何ン時でも重盛が取リ得させんコリヤ〳〵狩人。小松のかげの獣は一疋も取得る事叶はぬ。ナ。此場を早く立され〳〵。それ縄とけとの仰にほどくる高手小（9ウ）手。仁者に刃向ふ剣キもなくすご〳〵立ッて行綱は。過分と礼も目の中に。角を立てぞ別れ行。

程なく件の滝壺より水逆立ッて巻キ上るに。連て六郎浮ミ出。浪かき分ケて泳寄リ。こなたの岸につつ立上り。浮沓しごいて一ト息つぎ。物をもいはず忙然たり。ヤア六郎が帰りしぞ。心気労ん介抱と仰に従ひ高橋諸共。抱拘んと立チ寄レば。イヤ御介抱に及ばず。それへ参つて言上と重盛の。御傍に畏り。仰に従ひ滝壺の水底にわけ入。十町計沈むと存ぜしが。竜宮城共云ッつべき気色。楼門高々麗〳〵として。宮殿楼閣錦の戸張の其（10オ）中に。さもうづ高き女性まし〳〵。何国よりいか成ル者ぞと御咎。某は平家の家臣難ン波ノ六郎常俊と申ス者。主君ン清盛弁財天へ家の繁栄をいのりし所。盛衰は布引の。滝壺の中にて尋よとの夢の告。去ルによつて某に仰付ケられ。是迄分ケ入候と申上ケしに。霊女答て宣。ア、ラ。いらざる弁天の教やな。清盛儕レが武威にほこり。日の御ン神の御末を恐れず。帝を鳥羽の離宮に押シ込メ奉り。終には天の咎を請。其身計リか子孫迄絶果ん事眼前たり。譬 此事告しらす共おのが高慢の邪智に従ひ。かへつ（10ウ）て神社仏閣を破却せん事疑ひなし。必帰つて云イ聞すな。我詞を背なば。汝が命チ立所に失はんと。微妙の御声いかつて聞へ。立去リ給ふと思ふと早身の毛もよだち忽然と。浪にゆられて滝壺へ立帰り候と。語る中チよりはたゝがみ物さはがしく成ければ。

ヤレ六郎。制せられたる物語。云顕したる咎によつて。竜神祟をなすと見へたり。急いで此場を立されと。御意をも待タず。イヤ害有ル事は某覚悟。君には早く御帰国と。すゝむればいやとよ。求かたきは一人の勇士難を見捨る法や有ル。汝此場を立さらずば。我身も倶にと有がたき。恵の上意（11オ）に違背もならず。然らば暫く岩屈にも身を忍び害を遁れん。おさらばと立上る。又も頻に雷電の。耳をつらぬき五体に響。稲妻眼をとづるに恐れず。天を睨地を蹴立テ。谷合さしてかけり行。

猶も雨風震動して。篠を乱せば高橋わなく〱。ヤレ者共御ン傘持テ。二階の有ル家居はなきか。か様の時は耳が邪魔。御目をふさぎ御帰宅と。すゝむる中にくはら〱びつしやり。重盛四方を見廻したまひ。正しく今のは落たる音ト。六郎が身の上気づかはし。高橋参つて見届帰れ。イヤもふ拙者は御免ン〱。かうした時の多くの御家来。お出〱とすゝめに従ひ下モ部（11ウ）共。多勢を頼ミに走り行。高橋はうろ〱きよろ〱。いらざる六郎長物語。ヱ、いふなといふ事いはぬがよいに。人迄肝を冷さする。武勇は勝て居ながらも。所構ぬめつぽう人ン。落かゝつたらどふせうと。逃ケ廻る其中チに空晴渡れば家来共。追ィ々に立帰り。難ン波殿は掴れしと相見へ。太刀も刀も此ごとくこだ〱に打おり。着せし着込もちぎれ〱。小手脚当迄拾ひ集帰りしと。申上れば重盛公。御涙を浮め給ひ。人の運命ははかられず。最前我に錆矢を射かけし曲者は。助かる命時の運。適忠義の六郎があへなき最期も時の運。委細の事を高橋判（12

オ）官。父清盛に言上せよ。平家の武運も空醜し。父の不道の横車　直なる道の小松原。山路踏分帰国有ル
心の。中こそ　〽ゆゝしけれ
時は平治に改り二条院良仁親王。十六歳にて御位に即せ給へば。安芸ノ守平の清盛。西八条に御殿を構へ
威光　潮の涌がごとく。天にも登る我慢の勢　花館こそ賑はしき。
お家譜代の旧臣越中ノ次郎兵衛盛次か女房桜木。跡に続て上総五郎兵衛忠光が妻の若草。愛に愛持ッ一人リ
連レ。間ィの襖の。立テ明に行義作法のしとやかさ。裲　姿春めきて実も桜木若草の。ねよげに見ゆる容義
也。イヤ申シ（12ウ）桜木様。いつ迚もお早い御出　仕御苦労に存ます。是はしたり若草様。御苦労とは勿
体ない。おまへもわたしも御譜代の妻。是に付ケてもいとをしきは。難ン波ノ六郎常俊殿の奥方。何ン時知レ
ぬは武士の身の上。戦場にての討死は皆覚悟の前。尤此度布引の滝の御用も。外ヵならぬ主君ンのお為に
夫トの別れ。夫レ故御出ッ仕もなされぬは御尤。常俊殿の忠義の死を感じ入思召シ。跡目相続とのお上の仰。

お慈悲ぶかいじやないかいなと。女房同士は打寄ルと。男の噂跡や先キ悔も誠の心也。

表の方騒しく。下カれ〳〵さがらぬか下主め。さがりおらふを聞耳つぶし。鏡とぎ〳〵。飲ねばとがぬ鏡磨（13オ）ヱ、鏡とぎとぞしやべりける。奴共口々に。ヤアくらひどれの売人め。出ずは引出しぶちのめせと。割竹持ッて立チさはぐ。ヤアやかましい口髭殿。テモはへたは〳〵。貴様達チは髭を生すが商売。我等は又髭をぬかすが商売。其商売の御用有ッて此屋敷キしつて参つた鏡とぎ。鏡とぎ〳〵。といで。やりたい世の噂。ハレやくたいもない事を。ハ、、、鏡によらず。人の性根の曇をみがく商人。安芸ノ守殿の奥方に用事有ッて参つた。又茶碗で一つ呑でも参つたじやて。何ンと奴達チ好しいか。飲ねばふらぬ奴達チ。ヱ、奴達チとぞなぶられて。こいつ慮外千万。ソレぶてよくはせとひしめけば待テ々下モ部と押シ鎮め。申シ桜（13ウ）木様お聞遊せしか。御台様へ御用と有ルからは。聞捨にもナ申シと噂半へお妣。時子の前様是へお越としらすれば。コリヤ〳〵下モ部共。下カりませい。〳〵にナイ〳〵と。其儘表テへ逃ケて行。

地色ハル 清盛公の御台所時キ子の前。しづ〳〵と御座に付キ給ひ。中 詞 桜木若草。様子はあれにて聞つるぞ。自に用事有とはあの者な。用事の子細は何事成ルぞ。地色 包ず申せと有ければ。色 何ンの隠す事はござりませぬ。詞 ハテモ高が鏡とぎ。鏡を人に譬て申さば後白河の帝様。それを鳥羽へ押シこめ苦しみを見せます。其黒雲は誰レでゐす。清盛様の息がかゝると忽曇。コリヤ〳〵だまれ〳〵と地ハル 桜木若草。ウ 留メてもとまらず。色 イヤ（14オ）だまるまい。詞 かう口車の水銀で磨かけた最中。鏡は神の御正体。三種の神器の其一トつ。八咫の鏡は直成教。人の上にもかんがみる迚和訓の読くせ。昔鏡の真丸は政道第一。今の世界はひづみ返つた髭抜鏡。うはべはぬつぺり裏は悧り。人の大きう悲しむ事。何ンと聞へたか。又かう申が慮外と有て。御咎あらば再び内を見ず鏡。百に一つもお聞届有ならば。智恵ふり出した八徳鏡と。地ハル 詞の角をのべ鏡遖男の。ウフシ 天下一。

地色ハル 時子の前始終の様子聞コし召シ。中 詞 尤々面白い鏡の譬。まだ聞ク事も有リ頼ム事有奥へ〳〵。桜木若草同道あれ。

然らば我等も御供。慮外ながら御案（14ウ）内と。跡に付キ添鏡とぎ。後の出ッ世の姿見と打連てこそ奥に入。

御殿ンのやり戸あらゝかに立出給ふ清盛公。いつにかはりし面色も薄紅梅の小具足着し。上には直垂悠々と。大広間に出給へば。御家の子進野次郎宗政御前に参ン上し。仰に従ひ大納言成リ忠卿御出の由言ン上仕り候へば。鳥羽の離宮へ御院参。御帰館あらば直クに御殿ンへお越なりと。申上クればヲ、さも有なん。然らば早く是へ通せ。先ッ々軍の陣立テせん。銘々に対面ソレ呼出せと床机に座し一々〳〵次第に御覧ある。まつ先キかけて飛騨の左衛門。仰も重き大鎧金作の太刀刀ぴんと反たる鎌髭（15オ）頬。いかつがましく詰かけたり。負まじ物と高橋判官長常。総角高く結びさげ草摺きらめく御殿ンの庭。御意に入んと出立ッたり。次に進むは長田が嫡子太郎末宗。平治の軍に義朝を討ッて捨たる高名を。したり顔なる出立チに。風呂の手柄の其印。桶革胴の鎧着て。腰に帯せしいか物作り。我一番に責入ラんと。勢ひこふでぞ。見へにける。遙(はるか)跡より盛次忠光。仰は何か白糸縅(しらいとおどし)。銘々(めいめい)重代(ぢうだい)腰にはせ参りたる家の子良等(らうとう)。其外。近ン国在(ざい)番(ばん)の　諸武士共。馬に鞍(くら)置ク間タもなく。ひし〳〵と暫時(ざんじ)が中チ。西八条の御ン庭。せばしと詰かけたり。

清盛公にこ〳〵（15ウ）顔。ホヽ花やか也神妙(しんべう)〳〵。上総(かづさ)越中子細は未(いまだ)得知ルまし。清盛が憤(いきどを)りは是迄数度(すど)の戦(たゝか)ひに。命を戦場(せんぢやう)に投ケ打。君の為に民の愁(うれい)を退(しりぞく)。義朝が謀叛(むほん)。右衛門督信頼(ゑもんのかみのぶより)以下の逆臣悉(ことごと)く討亡(ほろぼ)し。天下安ン全(せん)に治(おさま)りしは是我勲功(くんこう)ならずや。夫レに何ぞや昇殿(しやうでん)の望(のぞみ)も聞入レず剰(あまつさへ)。源氏の白旗いづくに有リ共行方知レぬは。正しく木曽の先生(ぜんじやう)義賢(よしかた)に渡し。多田ノ蔵人行綱なんどゝいふ。源氏の残党(ざんとう)をかたらひ。平家を亡す帝(みかど)の謀叛(むほん)聞捨ならず。此方より打破(やぶ)り。帝を取ッて流し者。成忠成親(ちか)親子の者。異義(ゐぎ)に及ばゞ切て捨よ。此事必重盛に沙汰無用(さたむよう)。いざ討立（16オ）の御勢ひ。越中上総詞を揃(そろ)へ。御憤(いきどを)り御尤去リながら。成忠卿は正しき重盛公の御舅(しうと)。今一応(おう)御評義(へうぎ)然るべしといはせも果す。ヤア我詞は綸言同然(りんげんどうぜん)。

聞ヵぬぞいふなと宣ふ所へ。成忠卿御入也。と知すれば。是へ通せ皆々は奥の小庭へ控へ居よ。用事あらば呼出さん。急げやつとの御ン仰。力及ばず越中上総是非なく〳〵奥へ急キ行。斯共しらず。大納言成忠卿。何心なく長廊下。行キ過給ふ御後 進野次郎宗政。小腕 捻上ヶ諚意成ルぞと引すへる。清盛怒れる大声上ヶ。ヤア科はいふに及ず覚へあらん。鳥羽の離宮へ日毎の院参は。源氏の残党をかたらひ。白旗（16ウ）を渡し。我を亡さん企 明白せり。御辺一ッ家の好 速に白状せられよ。命は助け流し者返答有レと。荒気に少シもわるびれ給はず。コハ勿体なき帝への御ン疑。侘しき鳥羽の御住居参り仕ふる者もなく。漸〳〵西光 法師某只二人企テなぞとは曽以 存寄ず。又昇 殿の御ン望成リ忠宜敷奏聞せん。ヤアぬつぺりの間に合ソレ次郎縄かけよ。承はると立寄レば。暫し〳〵と錦の戸張。押シ退させて時子の前。桜木若草伴ひ出。ヤア卒爾なと押シとゞめ。なふ清盛公。子細あれにて承はる。成リ忠卿の息女園生の方は。重盛の婦妻と定まれば舅君。館を責れば則チ娘を責る（17オ）道理。親として子を悲しまぬはなき物。殊に御身は厳島明神の霊夢を請ヶ給ひ。布引の滝にて難ン波ノ六郎常俊が。あへなき最期も神の告。帝を苦しめ奉らば。其罪立チ所に御身に祟。心の鬼の火の車。ぐれん大ぐれんの氷も炎と燃。浅間敷キ死を遂給はゞ。自が嘆キ計か重盛の孝行も水の泡。御本心ンに颯され思召シ止つてたべさがなき民の口にかけ。逆臣よ道しらずと洛中の恨識。御耳へ入ラざるか情なやコレ成忠卿。必騒せ給ふなと。こなたを思ひあなたをいさめ。恐るゝ事なく詰寄給ふ後チには二位の尼君と。言伝へしも理り也。

何洛中の奴原が。悪口雑言とは皆帝（17ウ）の事よ。イヤ安芸ノ守平の清盛を恨憎其証拠。最前の鏡とぎ是へ出よと。仰に従ひ磨立テたる鏡とぎ。大小立派上下モも。さはやかに立出たり。ヤアほうげた叩く鏡とぎはうぬめよな。誰カ赦して其侍。サア真直に雑言の訳ぬかせ。陳ずるにおいては首引抜て捨んずと。掴ひしがん勢ひにちつ共臆せず。ホヽ此鏡とぎめは近年御領に付ヶられ。武蔵の永井に居住仕り候へば。見忘れも御尤。公達宗盛公の御めのとに附ヶ置カれし。斎藤市郎実盛。此度重盛公。父清盛公の悪心。万ン民の讒を聞コし召ての御嘆キ止事なく。御尤と姿をかへ人の心を写し見る。鏡磨（18オ）に成て忍び出。洛中の取沙汰。聞ケば聞ク程心よからず。其口写しを申上るも忠義の一つと。憚りも顧ぬは恐れ有リ去ながら。全我本ン心より出るにあらず。是皆重盛公の御指図。伝へ聞。酈懸山の慈童仙は。菊の葉に寿量品の文をしるし。仙宮の流レに是を流す。其川下の民百性。是を飲ば不老不死と成リて長命也。然るに其川の中間に陰山の烏。其流レをあぶる時。水反て毒と成ルまつ其ごとく。帝の御謀叛でもなきに。半ン途にて云ほぐし。悪様の評義是則チ毒と化すの道理。一応も再応も御紏有ッて然るべしと。憚る事なく諫の詞。弁舌さつぱり（18ウ）繻子鬢男水際の立ッ武士也。てつぺい押シの清盛。から〳〵と打笑ひ。ヤア丁稚めが味やるよ。現在躮重盛は今日ッ本の聖人と云ふらす。其異見さへ聞キ入レぬ此清盛。殊に儕レは元ト源氏の家来。忠臣顔の諫言片腹いたし。立去やつと詞の中チ。重盛公御入也としらせの声。清盛俄に仰天。何小松が来りしかなむ三毛虫殿。くすべ立るは知レた事と。鎧の金物押シ隠し。まじめに成ッておはします。

地色ウ
いつにかはりし重盛公。するく〳〵と御座に付キ辺を見廻し。某只今院参の帰るさ。承はり候へば御父清盛公には。後白河ノ院を責崩し。日比の御恨を散ぜん為。軍御用（19オ）意有リと聞クより其儘馳参ンじ候に。其御気色もなく。いかゞして思召シ止り給ふ不審さよ。重盛も兼て君に御恨有といへ共。臣ンとして上を苦しめ奉る事あたはず。清盛公は誰レあらん。是迄の勲功諸人の知る所。夫レに何ぞや思召シ止り給ふ体。一ツ旦仰出サれたる御事は。綸言同然何ンぞとの御諚大きに相違仕リ候と。多年ンの諫引かへて。進る詞の智恵の海ふはと乗リ出す清盛公。ム、然らば清盛が帝を責る物ならば。重盛も同心ンよな。コハ仰共存奉らず。子として父に背なば。末代迄も名の穢。いかでか違背候はん。アレ聞たか旁〳〵。うぬらが異見なんぞとは奇怪成リ。シテ〳〵重（19ウ）盛。成忠が義は何とせん。イヤそれは猶更気遣ひなし。正しき舅なる故。先ツ成忠殿から討ツて捨ん。諸事は重盛に御任せ。ヤア〳〵実盛。大納言殿を引立。小松が館へ押シ込置キ。是より某成リ親の館へ踏込搦捕ん。夫レ迄せかせ給ふべからず。いざつゞけ市郎と。成リ忠卿を引立させ足を早めて。出給ふ。

跡に清盛ぞく〳〵小踊。ヤア〳〵上総越中皆々来れ。何ンと今の子細を聞しか。いつにかはりし重盛の短慮。親に似ぬ子が有べきや。聖人と呼れたる小松さへあのごとし。清盛はまだ今迄はようこらへた。コリヤ〳〵時子。もふ異見取置ケソレ長刀と。家に伝はる銀にて蛭巻したる小長刀弓手（20オ）にかい込床几にかゝり。重盛の返答を今や。遅しと待ッたる所へ。斎藤市郎実盛大汗に成ッてかけ戻り。只今何者共知レず軍兵を引率し。御館をめがけ押シ寄候故。重盛公打向ひ。敵を御防候間。越ッ中上総かけ付ケ給へ。早く〳〵とせき立る。清盛大キに騒給ひ。何者が寄セ来るいぶかし〳〵。ヤア〳〵面々。爰構ずと重盛が加勢せよ。急げ〳〵に畏り奉ると。上総越ッ中飛騨高橋。長田を始メ其外家の子良等共。一人も残らず実盛に引ッ添て。重盛公へと走リ行。跡に清盛只一人ン。コリヤ〳〵桜木若草。汝等は跡より追ッ付キ。重盛が館の様子見分して我レにしらせよヤレいけ〳〵。（20ウ）承はりしといふより早く腰刀。しやんと小脇に物馴たるつま引上て急行。
清盛は立たり居たり。ヱ、心せかれやコレ〳〵時子。表門の櫓(やぐら)より軍勢の様子見てまいれと。仰も果(はて)ぬに
妼(こしもと)共申〳〵御台様。敵の大勢此館(やかた)をめがけ候と泣さけべば。清盛猶も仰天に赤(あか)う成青(あを)うなり。切て出ん
も独武者(ひとりむしや)。押寄るは何者と忙然(ほうぜん)たる時しも有一息(いき)次あへず。桜木がこけつまろびつ立帰り。只今是へ責
寄給ふは重盛様。一天の君に刃向(はむか)ひ給へば。父迚も赦(ゆる)されぬは臣下(しんか)の道(みち)と。皆迄いはせずヤア〳〵〳〵何
じや。重盛が押寄父迚も赦さぬとな。ヱ、早合点せしか呑込(のみこま)（21オ）なんだ憎い躮(せがれ)め。イヤモ智恵(ちゑ)の有世
倅(せがれ)を持ば色々の難義。といふて今更(さら)何とせん。ふつつり我儘はいはぬと云聞せよ。早う〳〵に桜木は又引
かへし行跡へ。入かはつて若草が申〳〵清盛公。ヱ、合点じや皆迄いふな。帝も鳥羽より助参らすると早
くいへ〳〵。イヱ〳〵夫計でござりませぬ。成忠様は何と遊ばすサ、、、夫も助るといへ。ア、嬉しや。
夫で積(つかへ)がさがつたと是も同じく。かけ出す。

地ハル 清盛ぢだんた身をあせり。色 ヱ、詞 無念千万。我昇殿し位に即ばケ程には得せまじと。地ハル 一人つぶやき給ふ所 色

へ。ウ 後白河の御使として。ハル 西光法師を伴ひ。ウ 重盛の御台園生の方。フシ 御前に畏。（21ウ）詞 わらは是迄参り

し事余の義にあらず。只今是へ責寄せ給ふ。夫ト重盛の御心ン底は。父清盛君を責ムれば朝敵と成リ給ふ。是

を諌んとすれば聞入レぬ御短慮。忠の道孝の道。立ッべき為の計略。一トつには君を流罪の祟もなく。二つ

には父の悪ク名も消。三つには成忠卿の死罪も遁れ。彼レや是やを思召シての謀。地色ウ 必あしく聞シ召シて下さ

れなと。ハル 夫の云訳ウ 我身の願ひ。滞なき発明はフシ 実も小松の御簾中。詞 ム、然らば親への孝行に。重盛の計

略とな。ヱ、口惜や又騙れた。そな坊主めは何の用。さん候只今重盛公鳥羽へ院参有リ。帝への奏聞には。

既に今日逆臣（22オ）おこり。玉体を苦しめ奉らんとせしに。父清盛公の御働にて逆臣悉く鎮りし

御悦愚僧を以ッて地色ハル 御使ィに参上せりと相フシ 述る。詞 何ンじや逆臣は清盛が鎮しとな。つべこべと嘘つきめ。ハ

テ是非がない。此度は地色ウ 宥免するとのお詞に。ハル ハア忝ケなやと園生の方。ウ 重盛公も御安堵と。ウ 其儘フシ 御前ンを立

給ふ。
西光法師も御供と。続て立ッを首筋掴で。どうと打付ケ足ッ下に踏へ。憎いづくにうめ。儕レ常々お傍を放れ
ず。謀叛を勧る故此大事。マ何がな恨の腹いせと。細首捻折骸を椽よりがはと蹴落し。ア、嬉しや〳〵。
是で少シは胸晴たり。ヤア〳〵誰レか有ル。参れ〳〵に飛騨高橋。長田を始メ越ッ中上総。追イ々に立帰レば
(22ウ)ぐつとねめ。憎いうぬめら。能も重盛が肩持ッて。むごいめに合せたな。是からは逆車。何ンにも
聞ぬ聞入レぬ。猶も帝を鳥羽に糺明。成リ忠成リ親親子の者共。元ト首切ッて捨させよ。今より我は大政太臣。
宗盛を右大臣。一ッ家一チ門悉く雲井に登。我に背く奴ッ原は片端に遠島流罪。先ッ義賢を討チ亡し。蔵人
行綱さがし出して逆ばつつけ。源氏の輩根を絶さん。寄セ手かゝらば一陣に踏破り公家にもせよ。君に
もせよ。今の無念は暫時の中チ。ヱ、腹立やきつくはいと。廊下の板敷どう〳〵〳〵。風の。おこれる其
勢ひ。御殿ンに。響鳴渡り。耳驚す御威勢今に。其名を顕はせり(23オ)

第二

三下リ歌ウ　おらが女房はナ。ナ。ナン〱ナ。こりやよい女房ヱ。たらいかたげてナ。ナ。ナン〱ナ。こりや布さらすヱ　と諷ひ連。所も名高き石山寺。大慈大悲の御ン誓引キも。ちぎらぬ群集には知ッた顔にも粟津の辻堂親子の地蔵。誰いふとなく願込に。ちんばが直る目がひらく頭痛疝気の筋ばりも。霊験あらたあら不思議と。毎日参詣夥し。

地色ウ　道の辺りの水茶屋に暫しとたばこ足休め。何ンとおか様ン。きつい参りで嘸銭設。サア申シ。取分ケけふは観音様の御縁日。殊に日和もよしきつゐ参ン詣（23ウ）と。出端を汲で指出せば。イヤいつでも時花観音。八景は一ト目に見ゆる。ヤ見ゆる次手に此辻堂の地蔵様。ひよつと目の願ンかけたれば。忽目が明イたといふて。夫レから又此参り。さればいの。此地蔵の奇瑞を。清盛殿へしらせて信心さしたい。石仏ヶでさへふしぎが有ルに。勿体ない王様を鳥羽へ押シこめ困窮させまし。一チ門ン一ッ家は栄耀栄花。どふで果はよう有ルまいと京中の取沙汰。まだ重殿がござりやこそ。こちとらが夜がねよい。とかく信心〳〵。此地蔵へも早う願ンかけるが仕合。悪ル口の世の中得ては狐の官上り。狸の宿替じやのといひ立る。それ〳〵皆人の気の廻り。イヤおか様ン過分と茶（24オ）の銭払ひ。我家〳〵へ帰りける。

参詣多き其中に女乗物並べさせ。娰附キ々京家の奥方。石山詣の御ン下向。親子の地蔵へ御立チ寄リお先キを払ふお供先キ。はい〳〵。肩ふる手をふる年栄も廿四五丁長羽織。徒士侍には惜かりし。茶店の脇に。乗リ物立テさせ手をつかへ。最早是より辻堂へも一ッ丁計リ。御乗リ物計リにてはお気づまり。暫おひろひ遊すも。お気ばらしと伺へば。ヲ、早かりしと乗物を出る姿のうづ高き。葵御前と聞へしは。木曽の先生義賢の御台所。茶店の床机にお腰有リ。のふ折平。けふ自が石山詣と云立テ。此粟津の辻堂へ来りしは。此比人の風説(ふうぜつ)に。親子の地（24ウ）蔵は。霊験(れいげん)あらたにましますとの事故。只の身ならぬ自(みづから)初産(うゐざん)の願ン込メ。何とぞ親子身二つと。思ふも女の愚痴(ぐち)心ン。義賢様へ申なばお呵(しかり)はしれた事。願ひの為に持タせし絵馬(ゑま)。そなたの細工(さいく)の切張(はり)も。いかふ見事に出来(でき)ました。其絵馬是へと有ければ。ハツア是は〱御前様。結構(けつかう)なお詞。拙ッ者めも先ン月より。お屋敷キへ御奉公(ほうこう)仕れば。何がな御意(ゐ)に預(あづか)らんと。手筒(づゝ)の細工も当座(とうざ)の間似合(まにあい)。イヤお妼(こしもと)衆。待宵姫(まつよひ)様には。お乗リ物からお出なされず。葵様もお独(ひとり)にてお淋(さひ)しからんと。心を付クればお妼の柵(しからみ)。待ッ宵様は先キ程より。お痞(つかへ)おこつて心よからず。葵(あふひ)様はお先キへ御参詣遊ばされ。（25オ）お下向を待チ受ケ其間に御養生(やうじやう)との。御事也と申上れは。是はマア自(みづから)に。最前(さいぜん)からしらせなんだ。ドレお見舞と乗リ物へ立寄リ給ふがイヤ〱。少シの気の結(むすぼ)れならん。自計リ参ン詣せう。供廻りは二三丁も跡にとゞまり。妼(こしもと)一人。家来一人連レゆかふ。イヤ折平めがお供夫レは余り軽々(かるがる)しい。イヤ〱。そなたは爰に残り待ッ宵御寮(りやう)の御用も聞(き)きや。お気のうかぬは痞(つかへ)のわざ。そなたは又痞直(なを)すが上手じやげな。侍ィ共。其絵馬持ッて供せいと。心も軽き御参ン詣。道もしづかにしと〳〵と。上美て粋なは奥ゆかし。

跡には妼柵小笹。お乗物に寄リこぞり。サアお姫様。お気ばらしにあれへお越遊ばされ。居ながら近江の八景（25ウ）を。折平殿の道案内。サア〳〵お出とほのめけば。ヲ、せはしなや騒しと。立出給ふ。待ッ宵姫。月の笑顔の目のはりや。男見るめは格別に。忽痞折平が。顔に見とれる御風情。

中にも小笹は発才者。コレ折平殿。お姫様への御馳走に八景の物語。夫レおいやとおつしやるならつもる咄シの寝物語。こちらは合点のふ柵殿。それ〳〵。どふで石山参りじや物。お怪我のない様に頼ますと。

押シやれば顔真赤。イヤ何様はや拙者めが。口不調法も結句お慰。アレ御らうじませ。向ふに見へましたが比良の暮雪。こちらがと立上る手をじつと取。近江八景知ッてゐる。比良の暮雪面白ない。云フ事有リと
引寄セられて猶（26オ）赤面ア、申シ〳〵。こちらが勢田の。ヲ、初心らしい。顔真赤に勢田の夕照。いつぞやからあの衆頼ミ。詢ど一ト夜も粟津の晴嵐。コレそちら向カずと。こちらを三井のかねての思ひ。胸は

どき〳〵矢橋(やばせ)の帰帆(きはん)。惚(ほれ)た約束(やくそく)堅田(かたゝ)の落雁(らくがん)是。からさきは夫婦ぞやと思ひ切て抱(いだき)付ク。柵(しがらみ)小笹(おざゝ)は気をのぼしよう〳〵お姫様。八景の濡(ぬれ)事。ア、気の尽(つき)がなをつたと女同士は媚(なまめ)かし。

柵は気転(きてん)者。コレ茶店(みせ)のか、様ン。弁当(べんとう)ひらく所はないか。アイ奥の床机(せうぎ)の簾(すだれ)の内。夫レは幸サア〳〵お越(こし)。追ッ付ヶお下向。先ッ々お出とむりやりに今更(さら)心恥しくいやじやお、じやの真ン中ヵの簾(すだれ)へ引上入リ給ふ。

早夏の日も。未(ひつじ)の刻歩(こくあゆみ)来る侍は。平（26ウ）家譜代(ふたい)のお傍(そば)さらず。瀬尾(せの)の十郎兼氏。供人引連レいかつ顔。茶店(みせ)にどつかと大あぐら。ヤア女良(めらう)め。茶店の主シはうぬめよな。此粟津の石仏へ。夜毎日毎(ごとひごと)に往来群集(わうらいくんじゆ)と。聞しに違(たが)はず此茶店も。参詣のやつらがあだ口場(ば)。打こぼつて仕廻(しまひ)おらふと。平家の権威(けんゐ)鼻(はな)高々鼻の先キなるたばこ盆(ぼん)。蹴飛(けとば)し蹴かへす灰(はい)まぶれ。茶店の嚊(かゝ)は逃ヶて行。

折から吹くる叡山颪(ゑいざんおろし)。土砂(すな)共に一くるめ。御座も吹ちる風に連レ。辻堂の絵馬(ゑま)一チ枚深田(まいふかた)の洫(いぢ)へ落ちつたり。

十郎目早くソレ取上ヶよ。畏(かしこま)つたと家来共。深田へ飛込泥(どろ)打ふり。手に渡せば。ム、切張の錺(かざり)馬。願ン主

は。木曽先ン（27オ）生義賢妻。ムウかやうの事あらんと思ひ此詮義(せんぎ)。辻堂へ人を寄セ。平家の事共悪様(あし)に
云ふらし。源氏に心を寄セさする企(くはたて)陣(ぢん)立テの錺(かざり)馬。此絵馬こそは能キ証拠(しやうこ)。清盛公へ言ン上し泡(あは)ふかさん
とかけ行首筋。折平透(すか)さず引ずり戻(もど)し。絵馬引ッたくりはね飛せば。
ヤアこやつ何者慮外(りよぐはい)千万ン。ヱ、聞へた。絵馬をかばふは合点たり。其絵馬こそは詮義の手がゝり我に渡
して縄かゝれ但シ踏(ふみ)のめして御前ンへ引コか。何と〳〵と反(そり)打かけてひしめけば。から〳〵と打笑ひ。貴様
も。年シに不足(そく)もない侍。一チ合(がう)取ても知行(ちぎやう)。万石取ッても武士といふ字に違(ちが)ひはない。人の名を問(とは)は。我
名を名乗ルが武士の道。不行義な（27ウ）お侍。此絵馬は。身が主人の奥方御産の願ごめ。風でちつたは
太郎坊のわざ。泥(どろ)坊武士共指(ゆび)でもさゝば。腕(うで)首切ッて切リさげんと。茶店の屋根に絵馬差込(さし)。羽織ひらりと
裾はせ折て。ねめ付クれば。
だまれ二才め。扨は義賢めが家来よな。かくいふは平家の御内。瀬尾(せの)ノ十郎兼氏。此粟津の辻堂へ人を寄セ。

源氏の残党をかたらひ平家をねらはん企。殊には義賢化病を構へ出仕もせず。彼レ是御ン疑の筋も有ル故。吟味に向ひし此瀬ノ尾。洛中洛外はいふに及ばず。公家武家町人の家居迄。平家をさみする奴原は。搦来れと清盛公の諚意に任せ。千人禿を（28オ）出し置ケ共。此辺迄は手が廻らず。其絵馬こそ能キ手がゝり。ソレ家来共ひつくゝれ。承はると寄ル所を。はり退ふちすへ蹴飛せば。出るに出られぬ待ッ宵姫。葵御前は物かげより始終の様子見るよりも。かけ寄ッて押シ隔。マア〳〵暫し待ッてたべと押シしづめ。さがれ折平。さがらぬか推参者め。家来の慮外は主人の慮外。殊に物詣の道姫ごぜの供先キ。女と思ふて我儘かゆるさぬぞと気色改め。是は〳〵瀬尾様とやら。マア御覧じませ。不調法な家来を使ふも此身の不運。自は葵と申て義賢の宿の妻。今日此辻堂へ参りし事。義賢殿に沙汰も致さず。石山詣と偽り。（28ウ）自が初産の願ひも女の鼻の先キ。必お疑ヒはらしてたべ。夫ト義賢の病気も常ならず。御出ッ仕も怠りし故。第一は其願ンごめ。此上は清盛公へあしからぬ様にお取リ成。瀬尾様頼上ます。お意路のよいはお顔で知レる。物和

らかな御ン生レ付キコリヤ折平。憚リながらあなたを手本ン以後を嗜め。ナア申シ瀬ノ尾様。〳〵

ハ、、、、と口車。

さしもの十郎ぐにやとおれ。是は〳〵御挨拶。先キ程からとやかくと。申スも忠義を存るから。シテ義賢殿には御病気ちと御快全かな。御用に取紛れお見舞も申さず。宜敷御伝へイサお下向なされ。然らば家来が慮外は。お許なされて下さりますか。ハテ何ンの(29オ)〳〵。最早お別れまだ見ン分ンの役目有。しづかに〳〵おさらばと。家来引連レ行過る。

跡には待ッ宵葵御前。どふやらかうやら云くろめた。憎い瀬ノ尾の十郎めが。内兜見てからりころりは済ンだれど。穢し此絵馬上ケられず。爰に捨るも名の穢館へ持て早帰れ。乗リ物参れにはい〳〵と心は。済ど葵御前。木曽の名字の錺馬。深田へ落しも末の世に思ひ。合する〽しらせかや。

水上は流レも清き。白河に。美麗を好む一ト構。源氏の末孫木曽の先生義賢。近曽兄義朝野間の内海にて討死の。思ひは血筋胸一ト つ心も心よからねば。出仕(しゆつし)打止病(やめ)（29ウ）気いひ立引籠(こも)る世の成リ行は是非(ぜひ)
もなし。

館は物音トしと〳〵と葵御前ン待ッ宵姫。次の間に立出給ひ。なふ待ッ宵様。殿も今すや〳〵と御寝(きよしん)なる。此
間はこちらが気ばらし。そもじも嘸(さぞ)お心づかひ。妼共琴持テこいと有ければ。イヤ申シ葵様。なぜ其様に
自に結構(けつかう)過キた御挨拶(あいさつ)。義賢様の娘なればやはりお前の娘同然。夫レをまあ小姑(こじうとめ)応答(あしらい)。迷惑(めいわく)に存ます。さ
ればいな此葵は。お前の母御様へ宮仕(みやづかへ)。お果(はて)遊してより引上ケられ。申さばお主。殊に只ならぬ身の自。
慥(たしか)に左リ孕(ばらみ)は御男ン子のしるし。ましてや初産(うゐざん)うみならひはない物と。覚有ル女中さへ（30オ）其時々の祈(いのり)
祈祷(きたう)。日外(いつぞや)粟津の辻堂親子の地蔵尊ンは。霊験(れいげん)あらたと聞及ンでの願ごめ。絵馬の細工の錺(かざり)馬武士の第一
と。心をこめし自が願ひ。夫レさへも俄(にはか)風に吹ちらされ。深田へ落しが気にかゝり。何とぞ身にさゝはり
もなく御誕生(たんじやう)有レかし。母が身は先キ立ッ共と。思ふ程猶そもじが大切ッ。物がたい挨拶(あいさつ)はおなかのやゝの

教にもと。真実見へし御めもと。待ッ宵姫もお道理と。しほれ入たる折からに。

表テ使罷出。先ン刻より門前ンに。近江の百性九郎介と申ス者。親子と見へて三人連レ。折平に逢しくれよと申ス故。暫く待タせ置キ候へ共。殿へ直キに御願ヒ（30ウ）の筋も有ルと。何分ン聞入レ申さず。いかゞはからひ申さんやと。伺へば葵御前ン。殿にはお疾ひ故御出仕もなされず。折平は大切ッのお使ィ故帰りもしらず。自が逢ふ苦しうない。是へ通せのお指図に。其儘表テへ急キ行。

引ッ違くる耕作親仁。在所育のぼつか〳〵。小まんよ。太郎吉よ。爺に逢すぞこい〳〵と。勝ッ手白洲の椽先キを見るよりはつと手をつかへ。小まんよ坊主よアレ拝め。打敷キの様な結構な着物きてござますが。これんの旦那殿のおか様そふな。こちらの振袖の姉御は旦那殿の妹御か。ア、尊や有難やと。伏拝むこそ殊勝なる。

葵御前はしとやかに。折平に逢ィたいと。尋（31オ）の有ルはそなた衆か。遠い所を遙々と。折節悪ルふ折平は殿の御用。帰りは知レず其間は。休足仕や苦しうない心安ふのお詞に。風呂敷包こて〱と心も吉野の丸盆に。はつたいの紙袋。手に持チながらホ、、、。是はマアさもしけれど私がおみや。花の都へこんな物と母も呵られましたれど。しれた在所のふつゝかを直にみやげて下さりませ。マア是迄は折平殿せんどお世話に預られました。お礼やら何やらかやらお恥しうござりますと。目元ト口元ト取形も浅黄帽子のこぼれ梅。こぼれかゝれる物ごしは。京 恥しき風情也。

待ッ宵姫も御挨拶御らうじませ葵様。いたゐけな稚 子（31ウ）の人おめせぬも育のよさ。そふしてそもじは折平の兄弟衆か。イヱ〱。小まんはおらが独 娘。折平と二人リ中の鎹 坊主めでござります。ム、それならあの小まん女郎は。折平のお内義かや。ハテきよと〱した姉様。内義共〱きつい内義。所に此太郎吉めが生レた晩から家出して。今年シで丁ど七年ン。何が廿二三の油ぎつた結構な田地を捨て。此お屋敷に奉公も新参と聞付ヶ。お隙貰ておらは隠居様。小まんは又七年ぶりの年貢の未進を。一ッ時キに取リたくる気でござります。どふぞ折平にお暇遣して下さりませ。アイとつ様の申されます通リ。（32オ）何とぞお上の御了簡。コレぼんち。そなたもお願ひ申しやいのふ。アイ爺様ンにおはれていにたい。抱れたいと。ぐはんぜなうても真実心ン。ヲ、われが抱れたいより。嗅が先キへ抱れたがると。指合構はぬ在所育。地に鼻付ケて願ひ居る。

待ッ宵姫は始終の訳聞ク程心よからぬ顔。葵御前聞し召シ。扨も〳〵しほらしい親子の願ひ。併最前も聞通リ。折平は大切ッのお使イ帰りも知レず。夫レ迄は館にゐや。帰り次第自が暇遣はし願ひの儘。親子連レにて国へ戻す。かういへばどこそ又気に立ッお人も有ロけれど。諸事は自が心に有ル。申シ待宵様。此衆を奥の一ト間へ御同道。（32ウ）何にもおつしやるな。親子の衆。マア〳〵奥へのお詞に。ヱ、有がたや忝やと親子が三拝。待ッ宵姫もおとなしく。然らば皆の衆サアこちへ。夫レならばお詞にあまへ。奥座敷へ参りましよか。高上り御免ン成リましよ。小まんよ。太郎吉よ。草履失ふなと。結び合せし親子の縁。妣婢が案内にて【フシ】打連レ奥にぞ入リにける。

【地色ウ】時しもあれお庭(には)の切戸。【ハル】折平只今罷リ帰る。【ウ】誰(たそ)お取次キとぞ【中】控(ひか)へゐる。【ウ】待ッ宵姫は走(はしり)出思はず庭へ【ハル】折平が。【ウ】胸ぐら取ッて気のせく儘。【ウ】物をもいはず身もだへし【フシハル】恨(うらみ)【中】涙ぞわりなけれ。【地ハル】折平一円合点(がてん)【色】行ず。【詞】コリヤ何ンじや待ッ宵様。お嗜(たしなみ)な（33オ）されませ。此堅(かた)いお屋敷キ。ひよつと殿のお耳(みゝ)へ入たら。折平めが首ころりいやな事〳〵。ヲ、いやであろ。小まんと云ッて子迄なした夫婦合。内証(ないしやう)で呼(よび)にやり。使ィをかこ付ケ道にて相談(さうだん)。何しらぬ顔にて隙貰(もら)はせ。ほんに。【地色ウ】むごいつれないど【ハル】ふよくと声を。【スヱテ】得立ぬ【中】忍び泣。【詞】何小まんが屋敷キへ来りしとは夢にも存せず。拙者(せつしや)めは殿の御用にて只今帰りがけ。則(すなはち)此。御ン文箱。ヲ、其返翰(へんかん)。直キに義賢受ケ取ラんと。【地ハル】病気屈(くつ)せず。【色】刀提(ひつさげ)。【詞】ヤア遅(おそ)かりし折平。待ッ宵には此場(ば)に用なし奥へ行。コリヤ〳〵。それ奥の小座敷に内証(ないしやう)客(きやく)も有ル由。折平が使ィの返事(へんじ)次第。（33ウ）用も有リ馳走(ちさう)せよ。いけ〳〵折平。使ィの口上。多田ノ蔵人(くらんど)行綱殿に対面(たいめん)せしか。お返事(へんじ)は何ンと〳〵。ハア殿の御口上。多田ノ蔵人行綱様の御住宅は。烏丸との仰を受ケ。何が其近辺足手かいさまに尋候へ共。左様のお屋敷キもなく。夫レ故すご〳〵罷帰りし不調法。今一応とつくりと。承はり参るべしと。申上れば。ム、して其状箱は。則チ是にと指上れば。文箱の紐とく〳〵改め状取上ケ。折平。蔵人行綱殿に対面も遂ず。手渡しもせぬ此状の封印はなぜ切レて有ル。ヘイ。いやさ多田ノ蔵人行綱へ遣したる蜜書の封印。おのれと切レたる謂なし。折平いかに（34オ）と尋られ。イヤ其御状の封印切レしやら。文箱其儘持参せし拙者め。曽以存シ申さず。だまれ折平。此使イは大切ッの蜜書成ルぞと。口上迄云イ付ケ遣はせしに。存ぜぬとは紛はし。但シ途中にて披見し。六波羅へ訴人せしか。イヤ訴人何ンど、は勿体ない。其御状に。左程の御ン大事御座有リ共さら〳〵存ぜず。憚リながらとつくと御賢慮をめぐらされ。下さるべしと手をつけば。然らば知ラぬに一定せり。ゑいは勝ッ手へ参つて休息せよ。ハア。はつとはいへ共立兼る。早行ケ。ハ畏り奉ると。すご〳〵歩む切戸口。行綱お待ちやれ。ナ、何ンと。イヤ多田ノ蔵人行綱殿。義賢が物語る子細（34ウ）有。先ッお待ちやれと呼かけられつか〱と立帰り顔きつと見上ケ。此折平を行綱と。呼かへす所存はいかに。ホ、此義賢が眼力。慥に貴殿と見極めたり。封印切し其返翰。早く見たしと星をさせ共ちつ共臆せず。其行綱といふ者は源氏の末孫。兼て平家のお尋者。扨は貴殿詮義仕出し。清盛へ訴ふる所存よな。ホ、疑ひは尤。心ン底を顕はさんと。ずんど立ッて椽先キの。元トに植たる小松の一本トかなぐり抜キ。心をこめたる覚の手の内てうど打たる手水鉢。片側微塵に飛ちつたり。

サア義賢が心ン底斯の通り。折平屹度ながめ入。ム、水は陰。木は（35オ）陰中の陽也。陰陽合体せし石面。打かいた心は。ヲ、サ二タつに破べき手水鉢。破ぬは持 水の源。扨は貴殿ンは昔を忘れず。源氏に心をヲ、推量の通リ。木を以ッて岩を砕。舌を以ッて人を損ふ平家の我儘。今義賢が心ン底を云ヒ聞カさん。和殿も遁ぬ源氏の末。打明ケて語られよとのつぴきならぬ詞の端。折平辞する色目なく。懐中より認め置キし蜜書取出し。封印切し其返翰と手に渡せば。早くも披き逐一チに読終り。横手を打ッてさこそ〱。源氏を忘れぬ思案の底。そこは端近先ッ々是へと式礼に。然らば夫レへ推参とおめず臆せず鰭（35ウ）ふりたる。

魚と水との源氏の流。誠に武士は武士也けり。

義賢は懐中より。正八幡の白旗恭々敷。床柱にかけ竿取ッてかけ置キ席を改め。同し源氏の身なれ共時キ代に連レて下モ様の奉公。嘸無念ンに思されん。貴殿ン日外此館へ新参に来られしより。只者ならぬ面体と。思へどうかつに問れもせず。多田ノ蔵人行綱へ名宛の使ィ。きやつ下良ならば其儘に立チ帰らん。我名を以て我レへの使と心付ば。途中にて披見せぬ事よもあらじと。心をくだく義賢が思案の的。はつれず当る弓矢の道。包ずも明カされたり。是も偏に此御（36オ）旗の源氏を守りの威徳ぞと。旗に向ひ頭をさげ。悦び涙ぞ理りなる。

蔵人眉をひそめ。第一不思議は此御旗。平氏の軍に義朝の首諸共。清盛が手に入しと伝へ聞ク。貴公の手に入たるは子細有べし。是に付ケても清盛が我儘。時至らねは力ラなし。我も源氏の嫡流多田ノ満仲の末孫たりしが。為義の勘当請様々に身を隠し。近江の片辺り九郎助といふ土民の方に隠レ住。時節を待チし此年シ月。時こそ有レ当春津の国布引の滝にて。重盛に出ッくはし。能キ敵に向ふたり只一ト矢にと引しぼり。ひゝふつと放すねらひはそれし（36ウ）運の尽弓。やみ〳〵と搦捕れ既にあやうき我命。情有ル重盛狩人に云ほぐし。命助カり其場を去リ。恩を怨にと貴方へ奉公。時有ラば此無念打明ケんと。折を窺ふ折平が身の武運。ひらかぬ事の残念〳〵。なふ其無念ンより義賢が。参内の時しも有レ。兄にて候義朝が首。此白旗諸共に清盛が下知を受ケ。長田ノ太郎が実検に備へし時。胸に盤石。おされぬは平家の権威。義朝が首大路にさらせよと。六はらの街に獄門にかけさせ。源氏の司我為の兄の首。鳶鳥の餌食となし。現在弟は平家に下り礼義の烏帽子大紋着し。いかめしき供（37オ）廻り草葉のかげより見給はゞ。嘸口惜しう思されん。ナフ行綱殿。義賢殿。ケ程拙き源氏の末。いつか会稽の春に逢家名の花実を咲せんと。拳を握り牙を噛。身をふるはせし血の涙。五臓を。しぼる計也。

ア、よしなき落涙に肝心の事失念せり。迚もかくてもながらへぬ某が一チ命。夫レ故何とぞ和殿を機関。始終の本ン意を達ッせんと。思ひ廻する折に幸ィ。近江の九郎助といふ百性。貴殿を尋来りたる様子は残らず聞置ィたり。我娘待ッ宵姫はからず貴殿とかたらひしも。我カ大望の能キ便リ先ッは因の盃せん。九郎助小まんに対面有レと詞も終らん表テの方。清（37ウ）盛公の御上使と呼はる声。騒ぬ義賢読たり〳〵。此御旗の詮義なるべし。構はずと先ッ奥へ諸事は葵に云付ケ置ク。委細聞カれよ早とく〳〵と進やり。御白旗を取納め心。〽静に入にける。

待ッ間程なく。上使の役高橋判官長常。引ッ続て長田ノ太郎末宗。首桶携のつさ〳〵上使にならび着座する。館の主ジ木曽ノ前ン生義賢出向ひ。二人が前に両手をつき。何れも御苦労千万ン。此間タより風邪に犯され出ッ仕も怠り候故。不礼の長髪略衣の此儘。御用捨に預りたしと挨拶有レば。イヤ義賢殿長口上取リ置ィて。高橋が上使の旨を能ク聞カれよ。此（38オ）度後白河ノ院を鳥羽の離宮へ押シ籠奉る。清盛公の御憤りは。貴殿ンの兄義朝が首討チ取リ。源氏重宝の白旗手柄の印シ。叡覧に備へし所其白旗は焼捨しと。成リ忠卿のぬつぺり是御咎の第一。此旗の行所も大方合点たり。所に貴殿ンの病気心得がたく思召シ。白旗の義存ンぜぬか存ぜしか急度糺し来れよと。長田ノ太郎両人承りし上使の趣。斯の通リと相述れば。コハ存ジ寄ざる御疑ひ。御尋の白旗。後白河ノ院の御手に入しは。清盛公こそ能ク御存知。義賢曽て存シ申さず。立帰つて此旨申シ上られよ。ヤア過言也義賢。高橋判（38ウ）官は清盛公の上使。御辺源氏の末なればこそ御疑ヒの筋も有。所詮論は無益ソレ末宗。ヲ、サ合点と首桶取出し。蓋押シ退是見られよ。義朝がくたばり首。鳶烏の喰ひ残し旗の詮義の責道具。存せぬに極らば此髑髏。脚にかけて誓言せられよ。現在兄でも朝敵。いやかおうか是かうと。蹴やり蹴飛す傍若無人。一間に窺ふ行綱が切ッて出んのはやり気を。まぶたで止る気の張弓。高橋長田ははね袴。股立きり、と中に取巻キ。ヤア猶予するはしれ者。サア髑髏を蹴ルか。白旗を渡すか。何シと〳〵ときめ付れはにつこと笑ひ。（39オ）ぎやう〳〵敷キ詮義呼はり。白旗の義は元来二タ心なき義賢が。髑髏蹴て疑ヒを晴さんと。ずんど立チは立チながら肉身分ケし兄親。いかに時キ代なればとて。経陀羅尼の弔ひなく土足にかけん勿体なやと。身の毛逆立ツ苦しみは地獄の呵責目のあたり。障子一ト重の行綱が柄も砕と握り詰。息を呑でぞ。控へゐる。長田ノ太郎大口明キハ、、、、。義賢が二心。ひつく、つて清盛公の目通リ。水くらはせて白状させん腕を廻せと寄ル所。其手を直クにひつ潜まつさか様に頭伝倒。高橋透さず飛かゝる。首筋掴で六七間ン投られひるまず切かゝる。得たりと行（39ウ）綱死物狂ひ。まつしぐらに切立テられ。さしもの高橋受ケ流してたぢ〳〵〳〵。叶はぬ赦せと逃ケ帰る。長追イ無用と呼とゞめ。長田を引上ケ椽板ににじり付ケ。ヤイ天罰しらぬ獄卒め。三代相恩の主人を失ひ。剰白骨迄土足にかけし其報。義朝の頭にてうぬが頭の弔ひ軍。思ひしつたか人ン畜めと頭微塵に打砕かれ。無念ン〳〵のあをち死天罰の程ぞ心地よし。

音トに驚き葵御前待宵諸共出給へば。行綱はつと心付キ。高橋めを討もらしたれば此所に猶予ならず。片時も早く落用意と。せき立ッればイヤ〳〵。義賢が運命今此時に相当る。譬此場（40オ）を落延たり共。
平家盛の勢に搦捕れ。水責火責の生キ恥より潔く討チ死せん。行綱は待ッ宵諸共此場を早く落延よ。人に
面を見しられぬこそ幸イ。鳥羽の離宮へ宮仕。待ッ宵を官女とし其身も倶に姿をかへ。折を窺ひ玉体を奪
取ッて忍び出。院宣を申請蛭が子島の頼朝に。心を合せ旗上せよ。片時も早く立チ退〳〵。義賢が日比の念
願ン時来れり。ハツア嬉しく〳〵有リがたしと。心詞も木曽育荒木を切ッて投ケ出したり。
待宵は涙ながら御尤とは云ながら。今討死遊ばすを聞捨にして行れうか。ヲ、我とても武士の身の此儘
（40ウ）に捨置カれず。寄セ手を待チ受ケ一ト軍仕らんと。云せも立テず先ン生義賢。行綱が衿かみ掴。待ッ宵諸
共椽より飛おり。裏門口がはと突出し跡ばつたり。義賢声をあら、げ。只今にも寄セ手来らは。蔵人行綱
なんどと敵に頬を見しられ。頼置キし大望は何ンとする不孝者。サア行ケ。落ずは先キへ切ッ腹。ア、申誤り
ました。夫レならばとふぞ葵様連まして落ませう。義理有ル今の母上様殊に常のお身でもなし。おなかの

や丶は自(みづから)が現在(げんざい)の兄弟。是計ㇼはお聞なされて下されませ。まだぬかす。我迚も我子の事。思はぬにては
なけれ共な。そち達は後白河ノ院を奪(うばひ)出すが忠義の第一。其忠義も（41オ）仕遂(しとげ)させず。足手まとひの葵
を連レさせ。其身の難(なん)に命を果さば。腹な躮(せがれ)迄不忠者にするかうろたへ者。連レ行んと思ふ心より。跡に
とゞむる義賢が心。推量(すいりやう)有レ行綱殿とどうど伏て。居たりける。蔵人手を打ハツアそふじや実(げに)尤。一ッ天
の君の御大事奪(うばひ)出し奉る。気遣ィ有なおさらばと。待ッ宵姫を引ッ立て思ひ切てぞ急キ行。
跡見送(おく)りて早いたか。でかす〳〵。ア親子が一世の別れ。命を捨ッる役目をいひ付ケ。情らしい詞もなく。
呵(しかり)まくつて追出せし。不便(びん)やとひたんの涙　にくれ近カく。遠(とを)音(ね)に響(ひゞく)責太鼓(せめだいこ)。螺(ほら)吹立る陣馬(ぢんば)の足音ト
物すさましく聞コゆれは。
ふるひ〳〵九郎助（41ウ）親子三人連レ。申シ〳〵旦那様。子細(しさい)は残らず聞キましたが。小まんにも呑込(のみこま)せ。
中〳〵悋気(りんき)所じやござりませぬ。奥様はおらが在所へ連レまして行胸。あれ〳〵〳〵胸が踊(おどり)ます。かてゝ

加(くは)へて山上(さんじやう)参りが有ルかして螺貝(ほらかい)がぶう〳〵。〔地ハル〕もふ爰へくるそふなとうろたへ〔フシ〕廻るぞ道理〔中〕なれ。〔詞〕ヲヽ片時(へんし)も早く連レ落よ。心かゝりは葵が身の上。身二つに成たらば傅(もり)立テて旗上せよと。〔地ウ〕懐(くはい)中の白旗取リ〔ハル〕出し手に渡し。〔ウ〕大事にかけよ〔中〕奪(うばゝ)れな。〔下〕いで。〔ウ〕晴(はれ)軍の装束(しやうぞく)せんと云に〔ハル〕心得葵御前。〔ウ〕小まんも倶(とも)に〔ウ〕鎧甲太刀(よろひかぶとたち)刀。〔中〕伝手(てんで)に奥より持チ〔ハル〕運(はこ)びイザ御召シ〔フシ〕とすゝむれば。

〔地ハル〕から〳〵と〔中〕打笑ひ。〔詞〕木曽ノ先ッ生義賢が（42オ）討死と極めし上。平家無道(ぶだう)の人畜(にんちく)めらに。甲冑(かつちう)にて向はんは武具(ぶぐ)の穢(けがれ)。弓矢神への恐れ有リ。螺貝(ほらがい)太鼓に聞怖(おぢ)して。鎧甲(よろひかぶと)着(ちやく)せんは葉武者の業(わざ)。誠の武士にない事〳〵。我に構(かま)はず早落よと。〔地色ウ〕手づから素襖(すはう)長カ袴(ばかま)取ッて着(ちやく)する〔ハル〕後(うしろ)から。紐(ひも)引しめる〔ウ〕九郎助親子ヱ、〔色〕構(かま)ふなく〳〵。〔詞〕最前ンから。落よ〳〵といふに聞入レずくずら〳〵と。お身も武士の妻でないか。小まんも九郎助も詞が違(ちが)ふぞ。落よ〳〵といふにぐずら〳〵とソレ刀。〔地ウ〕ドレ刀よこせと〔ウ〕烏帽子(ゑぼし)のかけ緒(を)〔ハル〕引結(むす)ぶ。〔ウ〕間近カく寄(よす)る鐘(かね)太鼓。〔ウ〕音トはどん〳〵〔中ウ〕胸はどう〳〵〔ハル〕動(どう)ぜぬ〔色〕義賢。〔詞〕ヱ、これ〳〵葵。うろたへて搦捕(からめとら)れ。腹（42ウ）

な躮も討死さすか。最前から落よ〱と云付るに。ヱ、どれ銚子持テ。腹な躮と一世の別れ。盃せん小まんつげ〱。我レへ戻せとせき立れば。御台はわつと声を上ケ。是迄数度の御陣立。もの丶具とつて着せ参らせめでたう凱陣遊ばせと。門ト出祝ひ申せしにけふといふけふ誠の別れ。顔見ぬお子にお盃キ。こはそも何ンの因果ぞと。身をもだへ伏転び声も。惜ず泣給ふ。ヱ、未練の涙に時移。早くも落よと引立る。程なく寄る鯨波山も崩る丶計也。

すはこそ大事と傍に隠る丶間タもなく。討ッ手の大将高橋判官長常進野次郎宗政捕手の人（43オ）数小手脚当に身をかため。中にも高橋大声はり上。ヤア〱義賢。汝源氏の恩を忘れず。白旗を隠し置ク事明白〱。縄をか丶れと呼はつたり。

義賢障子押シ開かせ。悠々と床几にか丶り。ヤア穢はしき討ッ手呼はり。木曽ノ先ン生義賢が清盛に対面して何の用なし。無道の平家の幕下に付クも胸悪ルく。兄義朝の弔ひに長田ノ太郎は討チ留たり。汝等も死出の供。源氏の武士にあやからさん。ヤア〳〵葵。九郎助親子諸共に早立退との給へば。ソレ落人遁すなと。下知より早く捕手の人数。遁すなやらじと追ッ取巻ク。心得（43ウ）九郎助太郎吉を背中にしつかり鑓一本ン。刀の抜キ身結び付ケ向ふて来るをからさほ打。小まんは小づまかいぐ〳〵敷ク刀かざしのめつた切。さしもの捕手も切立テられ跡をも見ずして逃ケ帰る。

葵御前は御旗大事と押シ隠し。ぬけ出んと見廻す所へ。高橋が良等横田兵内。すはやと見るより葵を取て引伏セ。何ンなく御旗ばい取ッてかけ行向ふへ。真黒九郎助戻り足。横田が諸脚からさほなぐりにとんぼう返り。儕レ耄遁さじとむしやぶり付ケば。まつかせ合点と向ふ突。旗をかへせ。イヤ渡さじと組づ転んづせり合中チ。義賢椽より片手をのべ。兵内が髃摑で（44オ）ぐつと指上。ヤア九郎助。爰構はずと御台を連レていけ〳〵。命が物種合点と孫は背御台も子持チ。仮初ながら四人連レ命からぐ〳〵落て行。

義賢御旗引ッたくり。儕レも源氏の弔料理太腹あばらのゑしやくなく。踏付ケ〳〵蹴飛せば微塵に成ッて死てげり。小まんは大汗大息次キ。太郎吉やい。葵様。九郎助殿と尋る声コリヤ〳〵小まん。九郎助は葵を連レ太郎吉諸共裏道より落延たり。此旗を汝に渡す。葵に追ッ付キ身の上迄も。くれ〴〵頼ムの後より。旗はやらじと軍蔵平内取ッたとかゝればかいくゞる。ほぐれて両人前がはにしがみ付ク。跡よりやらしの雑兵共。心得小まんがなぐり立〳〵表テをさして切結ぶ。

義賢は御旗大事と（44ウ）口にくはへ両手に軍蔵平内が。切てかゝるをかい沈む身のひねり。儕レが刀合ィ打チに二つに成ッて倒伏。進ン野次郎宗政。義賢の膁後抱にしつかと引しめ大音上ケ。木曽ノ先ン生義賢を進ン野次郎が生捕たりおり合ェやつといふ間もなく。刀逆手に我カ腹へ。ぐつと後へ進ン野次郎が背骨へ抜ケ。裏をかゝれて金ン襖に。重りながらのた打ッ血煙 栬を画しごとく也。

義賢両眼くはつと見開き。小まんはなきか。小まん。〳〵と呼ブ声に。敵を漸 大わらは見るより。ヤア早御最期かいたはしやとかけ上れば。ヤア騒な嘆くな。義賢が切ッ腹は覚悟の前。とかく大事は此御旗。

葵に追付キ手渡しせせよ。平家の穢(けがれ)をさつ（45オ）ぱりと。切て捨たる我討チ死。潔(いさぎよ)き切腹と云聞して悦ばせよ。思ひ置ク事少シもなし。去ながら。腹な躮を只一ト目。是が残念ン〳〵とさしも我強(がづよき)大将も子故の。闇(やみ)ぞ道理なる。

ア、迷ふたり〳〵。いではれ業(わざ)の死出(しで)の供。小まん見届(とゞけ)物語れよと刀を抜ケば目も紅(くれなゐ)。よろめく次郎を大げさに。切ツて捨たる此世の輪廻(りんゑ)。けさは則チ経(きやう)陀羅尼(だらに)弔(とむら)ふ菩提(ぼだい)の拝(おがみ)打。小まん其旗大事にかけよ。アイ〳〵〳〵〳〵も跡へひく。ヤレ行ケ。まだ行ケ西方の。弥陀(みだ)の御国へ帰り足道は。二タ筋別れ道。迷(まよ)ふなはぐれなおひ分ケ道。源氏の末は石場(いしば)道。先キであふみの鮒折(ふなおり)と別れ。〳〵に成にけり（45ウ）

第三

道行形見(かたみ)の寄生(やどりき)

忍ぶ身に。堪(たへ)忍ぶのは心にて済(すま)せば済(ミ)てつらからず。恋の忍びはつらけれど。逢(あふ)て語れば晴(はれ)もする。世を忍ぶ身のせつなさは。肌(はだ)に剣(つるぎ)や旅(たび)の空(そら)。義賢の御台葵御前夫の別れの悲しきに。たゞならぬ身の物思ひ。九郎助や太郎吉にいさめられつゝ、行先(キ)は。人に大津の町つゞき。おじやれ女が目をとめて。見るもさがなや恥しと。笠を人目の。関(せき)の戸(と)や。三(46オ)井の麓(ふもと)の別れ道右(キ)へ。行のか。左(リ)へか。こちへ〱と。ふいてよせたる浜(はま)風は。浪も静(しづか)に打(チ)出の浜。石場(いしば)通れば舟人が。陸(くが)をござれば三里の廻り。舟にめせ〳〵。目馴ぬ舟の。櫂も。艪もなくかき廻す。
所ならひかようした物よそれも。帆かけて。ひゑおろし。浪　に〳〵ゆらる丶。丸太舟のらぬも惜し。
乗も物うし真野の浦。賤の男の引網に目に洩。魚は多く共我身にか丶る網ならば。何とて遁れ負すべき。
憂目をどふで見るめとは関の。名のみぞ（46ウ）悕や。シテ それも理りけふ有ッてあすなき命もろこ川。
二人 渡　りて行ば番場村。ぜゞの足代木いつしかに。ワキ 愛護の若の古跡ぞと教　申せば シテ 実誠。此若君は継
母の妬によりて此里で。身まかり給ひし其恨。麻に成ル共苧に成ルな。花は咲ク共桃なるなと。いひ残され
て粟飯を参らせたりし兄弟の。宮居計リぞ。沖の島。かとりの浦はあれかとよ。ワキ あれ〳〵あれを御らん
ぜよ。二人 都の富士はひゑい山。近江の冨士はむかで山。七巻まいて勢田の橋。射（47オ）留た所を矢橋共。
やぐらといふて　此さきに弓矢。納めし。所も有リ。名のみぞ残る秀郷は。恋のわけしり色しりて。竜
宮城の聟となり三国一と名も高き。見上れば。伊吹山より立煙。さしもしらじなもゆる思ひはと。恋によ

そへし歌人も。あづまのはてへうつされて。つゐには苔の下にすむ。我レも夫トの御最期に別れて出てひなの土。埋もるゝ身はいとはぬがもふ今比は我夫が。お腹めしたで有ふかと。思へば胸も張さける。苦しいわいのと地にふして。泣こがれ給ふ（47ウ）にぞ。お道理様やと倶泣に。ないて渡るや雁金の。落る浜辺は堅田の浦。娘子供があつまりて。やしき出たときや。別れて出たが今は。まがきあたりを小歌ぶしヱ。おふ太郎さま〳〵。太郎さまを見たが。今は思ひのたねとなるヱ。諷ふ小歌に太郎吉が。腹なお子様もりしてしんじよ。てうち〳〵あはゝ。つむりてん〳〵や。天の教か腰かけ茶やで。姥がもちいやコレお茶一トつ。はな香もよしや。梅の木の如在もなしにいたはりて。住家も。ちかき。いなり山小野村。さして ヘ急行（48オ）

来る人と野に立ッ人に。物とへば先キへ〳〵と教られ。心も関の明神もよそに見なして走リ行。小まんは御旗肌に入そこに隠れ爰に忍び。葵御前や爺親に追付ク足も石場道。渡しも暮て船もなく。三里廻ればおのづから。馴染の道も長々と勢田の長橋打渡り。矢橋の浦に着けるが。

秋の　月さへ。曇　夜の朧　月かげ浜伝ひ。追かけ来る侍ィは。高橋判官が家来塩見ノ忠太。手の者引連レヤア待テ女。儕レ木曽ノ先ン生義賢に頼れ。源氏の白旗隠し持ッたる由。降参の下モ部が白状。急いで白旗渡せばよし。さないと忽　こな微塵覚悟ひろげと呼はつたり。（48ウ）小まんは身がため帯引しめ。草津石部の宿では。百人にも千人にも勝つて万と付られて。人も知た手荒い女。覚もない事云かけて跡で難義を仕やんなとよはみを見せず。云放す。

ヤア不敵な女。何程包隠しても。訴人有ば遁ぬ〱ソレ家来共。懐　へくつ〱と手を入て。どこもかしこも捜せ〱。畏　たと家来の大勢。取てかゝつて懐の。白旗取んと組付をしつこいお方と引ぱづし。首筋取て狗子投。抱付家来を其上へ餅に重て男の女夫。後からとは物好と。腰でしやくつて負投背投。在所力の引臼(うす)投ころりころ〳〵〳〵。腰骨(ほね)背骨踏づ蹴(け)られつさしもの大勢。(49オ)持倦(あぐ)んで見へければ。

忠太苛(いらつ)てヤア女と思ひ用捨すりや。付上つたるぴつ切め。ぶち放(はな)して奪(ばひ)取レと。下知に従ひ茅(つばな)の穂(ほ)先小まんも爰ぞ命の際(きは)と。用意の懐剣(くはいけん)逆手に持寄ばつかんと。目をくばる。

シヤ小ざかしいふん込と。女一人にへろ〳〵武士切てかゝればひらりとはづし。なぐれば飛でこなたを突(つき)。持たる旗の威徳(ゐとく)をかり。男勝に働(はたら)けど。大勢に切立られ。モウ叶はぬと覚悟(かくご)を極め。ヤレ待てたべ白旗渡そ。此場の命助てと。懐(ふところ)の御旗をば。指上見すれば。忠太はゑつぼ。ヲヽさもあらんソレ家来共。助てとらせと立よつて。取んとするをけさにすつぱりソリヤ赦(ゆる)すなと大勢が(49ウ)一度にかゝれば。叶はじと。青(あを)ミ切たる湖(みづうみ)へざんぶとこそは。飛込だり。

ヤレそつちへうせたこつちへと。追かけ廻れど陸(くが)と海。小まんは元来(もとより)水心浮ては。沈(しづみ)沈んでは。姿を隠す月夜かげ。島有方へと〽泳(およぎ)行く。

地ハル 志賀の浦へと漕舟(こぐ)は平家の公達宗盛君。竹生島下向の御船飛騨ノ左衛門お伽(とぎ)の役。石山の月御上覧と。夜の八景月夜かげ。

地色ウ 向ふより来る小船(しやうせん)は斎藤(さい)市郎実盛。舟印を見るよりもやがて漕寄(こぎよせ)。船張(ふなはり)に手をつかへ。若君の御船と見奉る。御機嫌能(きげんよく)御下向恐悦(きやうえつ)至極(ごく)と相述(のぶ)る。宗盛君おとなしく。父上の代参とし。竹生島へ詣(もふで)しに。道の風景詞には尽(つく)されず。其方はいづくへ行（50オ）ぞと有ければ。さん候清盛公の上意によつて。源氏の胤(たね)を詮(せん)義の役。瀬ノ尾の十郎と某に仰付られ。瀬尾は先達て草津守山の民家(みんか)を捜(さかし)。あれ成明神が茶屋にて出合約束。一方ならぬ大事の役義。早お暇(いとま)と漕出(こぎ)すを。飛騨左衛門暫しと呼留(よびとめ)。申さば若君初ての御代参。祝(いは)ふてお盃をも頂戴(てうだい)し。朧(おぼろ)月夜にしく物はなしと申せば。さへぬ月にて一献(こん)ひらに。〱と留るにぞ宗盛も倶々(とも)に。兄重盛のお気に入すげなうは帰されず。是非に船へと仰も重(おも)く。然らば御意に任(まか)さんと。乗リうつれば飛騨ノ左衛門。ソレ盃改めよと。瓶子(へいじ)もかはり献々(こん)に。暫く時も移(うつ)りしが。

何見つけ（50ウ）けん飛騨ノ左衛門。船張にかけ上り。あれ見られよ実盛。慥勢田唐崎の辺に多くの松明船の篝火。口論か海賊かと。宗盛君も実盛も評義区々成ル所へ。小まんは平家の舟共しらず。泳付カんと心は早浪。白旗口にひつくはへ。逆手を切て泳共。向ふ風に吹キ戻され浪に。もまる丶有様を。目早き実盛すかし見るよりアレ〳〵〳〵。あれへ慥女と見へて。海上遥に泳ク者有。正しく水に溺る丶体。見捨て殺すは本ン意にあらず。水練手練の者はなきか。アレ助けよ殺すなと。いへどあせれど誰有ッて。水底しれぬ水の面。飛込ム人もなかりける。

小まんは一生懸命の。気は（51オ）鉄石でも風と浪。次第によはる身の苦しみ。ヘヱ、口惜や。爰で死るか情なや。せめて最期に親達チや。我子に逢たや顔見たやと思へば。いとゞ吹キ流され。船を寄セても隔られ危く見ゆれば実盛も。見殺しにする不便ンやと。余所の哀を見捨兼。思ひ付たる三間櫂。おつ取海へざんぶと打込。竜神感応いのれや女と。叫ゝる声が力ラ草。情の心通してや。流る丶櫂は小まんが傍へ。寄ルと其儘しがみ付。一ト息ほつと次(つい)たるは蘇(よみがへり)生たる心地(こゝち)也。

櫂を。浮木の。かた泳たぐり。〳〵て御船の傍。寄ルと其儘実盛が。首筋掴(つかん)で船へ引上。薬を用ひ身を温(あたゝ)め様々。いたはり気を付クれば。小まんは始終(しじう)（51ウ）手を合せ。どなた様かは存ませぬが。神か仏ケか有がたいお情。わたしは小まんと申シて此辺の者。年シ寄ツた親も有。七つに成ル子もござりまする。死ンではどふもならぬ命。お助ケなされて下されし。御恩はいつか報(ほう)ぜんと。涙と倶に一チ礼を。聞て実盛。イヤ其方が運(うん)のよさ。あれに御座なさるゝは。平家の御公ン達チ宗盛公。御船(みふね)のおかげで助かつたお礼申せと。いふに恟り。何是は平家の船とや。ハアお有がたうござりまするると。いふ声倶に身をふるふ。

飛騨ノ左衛門目角トに立。平家と聞て驚しやつつら。先僭レは何ゆへに。女の身にて海上を泳しぞ。イヤそれには。ちつと様子が。サア其様子ぬかせ。アイあい（52オ）とはいへど云兼る。折もこそあれ高橋が家来共。小船に取乗リ声々に。其女こそ源氏方白旗隠(かく)し持ツたるぞ。油断有なと叫(よばゝ)る声。扨こそこやつ曲者(くせ)と。

地ウ 飛騨ノ左衛門飛かゝり。腕捻(うでねぢ)上れば ハル 小まんは声上。上 キン ナフけふはいか成ル悪ク日ぞ。死る命を助りて。ウ 嬉しと

ウ 思ふ間もなく。詞 此修羅道(しゆらだう)の責は何事。地ハル 情なや浅ましやと スヱ はぎしみ歯ぎり身を ウ 震(ふる)はし。キン もだへ嘆けば 色 ヤア何

ほざく。詞 サア命惜(おし)くは白旗渡せ。イヽヤ渡さぬ〳〵。女ながらも見込れて。預つた物むざ〳〵と。譬(たとへ)死ン

でも白旗放(はな)さぬ。ヤア胴性骨(どしやうぼね)のふとき女と。地ハル 懐(ふところ)捜(さが)せば右手(めて)に 色 差上。詞 かう握(にぎ)つたら金輪(こんりん)ならく。旗は切レ

（52ウ）てもちぎれても。地ウ 一チ念ン凝(こつ)た ハル 此手の内やみ〳〵と渡さふかと。ウ あせれど遉(さすが)女業(わざ)。既(すで)に危(あやう)き所を 色 実

盛。詞 につくき女と旗の手を。地ハル ぱつしと切ッて水ィ中へ ウ 白旗諸共。詞 なむ三宝白旗取ラんと過(あやまつ)たり。地ハル ハハはつと

げうてんは麁忽(そこつ)と見へて。フシ 情かや。

詞ノリ ヤア〳〵船頭(せんどう)共白旗が。水に慕(した)ふて流レしぞ。艪櫂(ろかい)をはやめて追ッかけよ。地ハル 早く〳〵とはやての下知(げぢ)。ウ 畏(かしこま)

つて船人が艪拍子(ろびやうし)揃(そろ)へて 色 ゑいさつさ。ゑいさ〳〵ゑいさつさ。ハル さつさ逆まく浪切ッてあてども。上 なしに

三重 上 〽尋行。

暖な。雪が見たくば秋又ござれ。畠は白妙雪かと見れば。小まん小よしが綿為業。歌に諷ふは近江路や。小野（53オ）原村に住馴て。夫は九郎助娘は小まん。我レは小よしの霜かづき。雪と霰を。くりわける。立テ綿繰の。くる〳〵と廻る三里の船よりも。手廻しよいは百性の秋の半としられたり。

のらはいつでも隙だらけ。主ジの甥矢橋の二惣太大道横に門ト口から。ハアこりや精が出ます。今年シの綿も百目喰ィにくゐますか。ハア甥のとのごんせ。いつにない和はりと綿挨拶。九郎助殿の留主を考 何ンぞ種まきにか。イヤ伯父貴の留主はしらぬが。たつた今一寸見へて。われとは不通でこちの内へは寄セぬか。根性も直つたらちちと頼ム事が有ル。今ン度都から歴々の女中を（53ウ）お供して戻つた。まさかの時力ラに成ツてくれぬかといはる丶。ハテ五十度や百度喧嘩した迚。身は泣寄頼れませうと約束した。何ンと其女中といふは。木曽ノ先ン生義賢様の御台。葵様といふので有ふがのと。うら問か丶れば。サア顔は青い手は真黒。どこぞの飯炊に孕して。連レて戻つたので有ロぞいの。ア、わつけもない。あのこんにやく玉見る様な親仁に。誰がねぶらす物で。けふ石山参りするといふて寄(よら)れ。残らず咄ｼ聞た隠すまい〱。ムウすりや孫の太郎吉を連ﾚて。網(あみ)持ｯていかれたが。ヤア。やあとは。親父殿は草津川へ鮒(ふな)取にいかれた（54オ）わいの。それに石山参りとはまざ〱しい大きな嘘(うそ)。ヲ、奥に居る女を。親父の妾(てかけ)といふも嘘(うそ)。〔地色ウ〕うそと嘘とが出合たからは。〔ハルウ〕いつそ誓文払(せいもんばらひ)に打まいて聞ｶそふ。〔色詞〕義賢が女房葵御前はお尋者。訴人(そにん)すると金に成ﾙ。早先ｷ達ｯて中上ｹて置ｨたれど。有さまを仲ｶ間へ入ﾚると。づきが廻つても高ぶけりさせぬ。わけ口やらふが一ﾁ味(み)する気はないか。ヲ、ようふて下さつた。マア親父殿に問(とふ)てから。それ問てたまる物か。其こなたの気を知ｯて。留主(るす)の間へ来たら。骨膾(ほねなます)くはせといふて拵(こしらへ)て有ﾙぞや。アノ鮒(ふな)のか。インヤ倚棒(よりぼう)の。イヤのふそれも伯父（54ウ）貴(き)が切々(せつ〱)くはして味(あぢ)覚て居る。扨は留主にも拵(こしらへ)て置ｨたか。しかも筋鉄(すじがね)の入ｯたのが。ハテ念ﾝの入ｯた事。あほう律義(りちぎ)で金儲(もふけ)しらぬわろ達ﾁ。あた面倒(めんだう)ないんでくりよ。ハテまあ遊んで一本まいれ。イヤ又馳走(ちさう)に逢(あふ)より。〔地色ウ〕おと、い来(き)ましよと足早に。〔ハルウ〕いふた事共はげ天窓(あたま)。帰らぬ内と〔フシ〕出て行。

世に連レてかはる住居や憂思ひ。義賢の御台葵御前。只ならぬ身の満月。影を隠する一間より。打しほれ出給ひ。ナフ内義。いかふ烏の鳴音も悪し。心にかゝるは小まんの事。便りもないか音トもせぬか。九郎助も太郎吉もまだ戻らず（55オ）やと有ければ。又わけもないお案じ。連レ合の咄シの様子では。まんは大かた折平の跡を慕ひ。あてどもなしにいた物でかなござりましよ。烏鳴が悪ィとおつしやれど。ありや御平産が有ふと悦び烏。親父殿はお前へ上ケまするといふて。近江の名物源五郎鮒打にいかれました。網の目に風溜ると惣々の息精でも。お産を安うさせますると。力ラ付ケても付ケられても。昔にかはる落人の。御身の上ぞいたはしき。

主九郎助網提。戻るを太郎吉先キ走リ。祖母さん大きな物がかゝつた。おれが見付ケたおれが取ッたと小踊して悦ぶにぞ。ヲ、でか（55ウ）しやつた〳〵。アレお聞遊ばせ御運のふなをり。大きな物がかゝつたといな。ドレ見ませうか親父殿。ホウ見せう共〳〵。気疎(けうとい)物じや。悑(びつく)りすなよ。飛(とび)も弾(はね)もせず動(いごき)もせぬ。
廿四五年物の人魚(にんぎよ)。隠すが秘密(ひみつ)と表テ引立テ。よつ程稀有(けう)な源五郎鮒(ぶな)。驚(おどろく)まいと網よりもほふり出したは
女の片腕(かたうで)。娘の手共しらで悑(びつく)り。ソリヤ見たか。羅生門(らしやうもん)から奪(うばひ)に来る。きをひ口でも伯母(おば)に見せなと。
仇口(あだ)いふても傍(そば)へは寄(よら)ず。太郎吉はおかしがり。テモ臆病(おくびやう)な死だ手が何ンでこはいと打笑ふ。
イヤ又気味(きみ)がようもない。コレ親父殿こりやまあどこから取ッてござつた。されば（56オ）草津川の下モは
湖(みづうみ)からの入込ミ。鮒(ふな)の溜(たまり)が有ふと網ッ持てかゝつた向ふへ。其肘(かいな)が流レてくる。孫めが見付ケて取ッてくれと
せがむ。よしない物と思へど。手に持ッた物が好(この)もしさに。一ト網くらはして引上。握詰(にぎりつめ)てゐる白絹を放(はな)
してみれ共離れぬ。いか成ル者の肘(かいな)ぞ弔(とむら)ふてもやらふし。第一此指をはづして見たさに持て戻つた。御台
様とそちとして。腕(うで)首しつかり持ッて居よ。力に任せもぎ放そふ。サア〳〵持テ〳〵と指付ケられ。
こは〴〵ながら。御台と倶(とも)に手をかけて。引どしやくれど放ればこそ。ほつとあぐんでこりやいかぬは。

いつそ手の内切わろと立ッを太郎吉コレぢさま。（56ウ）おれ放そふかと立寄レば。ア、おけ〳〵人形の首ぬくとは違ふ。持ッた絹をばやぶりおろと。呵れど聞カずいや〳〵。あの持た指を一本づゝ放せば放れると。大ませ者のわんばくが手を懸れば忽に。五つの指は一チ度にひらき。白絹我子へ渡せしは。肘に残る一チ念の思ひは。いとゞ哀なり。

不思議ながらも絹押シひらき。見るより御台はヤア是は源氏の白旗。自が家の重宝。スリヤ此白旗持ッた此手は。といふた計リに九郎助御台。虫がしらして女房も若や娘の肘かと。いはず語らず三人が。顔見合セて一時にほつと溜息つく計リ。

かゝる折から平家の侍イ。斎藤市郎実盛瀬ノ尾（57オ）の十郎兼氏。二惣太が訴人に依て葵御前を詮義の役。村の庄屋付キ従。則チ是が九郎助が所。御案内と戸口にかけ寄リ打たゝき。お上ミよりお尋の事有。明ケたく〳〵とつかふど声。扨はと九郎助コリヤ女房。平家方より源氏の胤を扨すと聞イた。先ッ御台様を忍ばせよ。まさかの時は。コリヤ〳〵かうと。耳へ吹キ込ミ奥へ追イやり。門口明れば両人はやがて。内へぞ入にける。

わけてけにくき瀬ノ尾の十郎床几にかゝり。何九郎助といふは儕レか。木曽ノ先ン生義賢が女房。葵といふ孕女。かくまひ置イたる由是へ引出せ。詮義する事有リと。てつぺい押シを少シもひるまず。是は思ひも（57ウ）寄ぬお尋。左様なお方此内にはと。いはせも立ずヤアぬかすな。儕レが甥の矢橋の二惣太。此瀬ノ尾へ両度の注進。遁ぬ所白状ひろげ。イヤ譬　甥が申ませふが。此埴生に左様なお方。毛頭覚エござりませぬと。云放せば実盛。コリヤ九郎助とやら悪ルい合点。当時平家の威勢を以ッて。源氏の胤を胎内迄御詮ン義。懐妊の葵御前かくまひ有ル事現在の甥が訴人。爰を能聞ケ。譬源氏の胤成リ共女ならば助ケよと小松殿の情。それに逹て争ふと踏込ンで家捜し。為に成ルまい白状と事を分ケたる一言に。はつと吐胸の思案も出ず。是非（58オ）に及ばず手をつかへ。成程故有て葵御前をおかくまひ申シ。当月が産月。未　女共男共定められぬ懐胎。御平産有ル迄を。私にお預ケ下されと願へは十郎。ヤアしにぶとい親仁め。けふ産かあす産ムかとべん〳〵と待ふか。胎内迄捜せと有御上意は腹裂て見よと有ル仰。則チ裂ク役は某。見分ンは是成ル実盛。葵御前を是へ出せ。腹裂ィて見て女ならば助ケてくれる。隙とらずと早く〳〵。アノ懐胎を腹裂ケと有ル。ヲ、サ。清盛公の仰。ホイそれはあんまりおどうよく。一人リならず二人リの命。何とぞお情て当月中を。イヤそりやならぬ。サアそこを。ヤアしち（58ウ）くどい親仁め。奥へ踏込引ずり出し源氏の胤を絶してくれんと。立ッを九郎助ヤレ待ッて。お慈悲〳〵と手にすがり嘆キ。とゞむる折からに。

俄に騒ぐ一ト間の内女房の声として。九郎助殿〳〵。御台様がけが付ィたちやつと〳〵と呼たける。はつと驚キかけ行を瀬ノ尾はやがて引とらへ。ヤアどこへ〳〵腹裂れるがせつなさに。産だとぬかすか合点がいかぬ。誠産ンだが定ならば其がき是へ連レてこい。但シ踏ン込見届ふか。何ンとじやどふじやとせり立られ。のつ引ならぬ手ごめを見るより。是非なく〳〵も女房が。錦に包。抱拘。果報拙き源トの。御ン行末と計にて涙（59オ）ながらに立出る。

九郎助はせきにせきコリヤ女房。男の子なればお命がない。女か。〳〵と問(とへ)ど答(こたへ)ず打しほれ。詞なければ瀬ノ尾の十郎。ハア、男子に極た。其がき是へともぎ取を実盛おさへて。イヤ見ン分ンは某が役改(あらため)た上お渡し申さん。水子是へといだき取。男子を女子にくろめんと心配(くば)れど目先キに瀬ノ尾。油断(ゆだん)せぬ顔工面皺(じう)面こゝぞ絶体絶命(ぜつたいぜつめい)。男子成共変生(へんじやう)女子と。絹引まくればコハいかに。朱(あけ)にそまりし女の肘(かいな)。是はと驚ク実盛より瀬ノ尾は悔り。是産ンだか。〳〵と興(けう)さまし鞆(あきれ)果たる計也。

九郎助ぬからず女房引寄セ。ヤイ爰なうろたへ者め。木曽先ン生義賢様の御台（59ウ）が。肘産(かいなうん)たといはれては末ッ代迄お名の穢(けがれ)。なぜ隠しとげおらぬと。真顔で呵(しか)れば真顔で受ケ。サアわしもそふ思ふたれど。あんまり詮義が厳(きびし)さに。是非(ぜひ)なう持ッて出ましたと。手尓葉(てには)も品もよい手な身がはり。是も娘が忠義かや。

邪智(じやち)深(ふか)き瀬ノ尾の十郎にが笑ひして。ハア工(たくん)だり拵(こしらへ)たり。日本は扨置キ唐天竺(ぢく)にも肘を産ンだ例(ためし)はない。

はとのかいの売僧(まいす)めらと。睨(にらみ)廻せは実盛。イヤ例ないとは申されず。か丶るふしぎも世に有ル事。ムウこりや聞キ事。か丶る例が何国(いづく)に有ル。ホウ申さぬ迚御存あらん。唐士楚国(もろこしそこく)の后(きさき)桃蓉夫人(とうよふぶにん)。常(つね)にあつきを苦(くる)しんで鉄の柱(はしら)（60オ）をいだく。其精霊宿(せいれいやどつ)て鉄丸(てつぐはん)を産(うむ)。陰陽師(おんやうじ)占(うらなふ)て剣キに打す。干将(かんしやう)莫邪(ばくや)が剣是也。察(さつ)する所葵御前も常(つね)に積聚(しやくじゆ)の愁(うれへ)有ッて。導引鍼医(だういんはりゐ)の手先キを借(かり)。全快(ぜんくはい)の心通(つう)じ自然(しぜん)と孕(はらめ)る物ならん。ハテあらそはれぬ天地の道理。今より此所を手孕(てばらみ)村と名付べしと。さも有そふにいひしより今も其名を云伝(つた)ふ。

逗(さすが)の瀬ノ尾も云廻され。ハテめづらしい肘の講釈(かうしやく)。其旨清盛の御前へ参り披露(ひらう)する。其腕急度(うできつと)預ケたぞ。ヲ、申シ訳(わけ)は実盛が胸に有。ホウ腹に手が有ルからは胸に思案(しあん)が有ル筈(はづ)。先キへ帰つて注進(ちうしん)と。表テへ出しが屹度思案し。思ひ付イ（60ウ）たる詮義の種。それよ〳〵と點頭(うなづい)て逸足(いち)。〵出して走行く。

音しつまれば葵御前。太郎吉連て立出給ひ。聞及びし実盛殿。お目にか丶るは初て。段々のお情。忘れ置じと有ければ。是は〳〵御挨拶。某元は源氏の家臣。新院の御謀叛(むほん)より思はずも平家に従ひ。清盛の録(ろく)を喰(はむ)といへ共旧恩(きうをん)は忘れず。今日の役目乞受たも危(あやうき)を救(すく)はん為。然るにふしぎなは此の肘(かいな)。矢橋の船中にて某が切落した覚有。慥に此手に白旗を持つらん。御存なきやと尋れば。成程〳〵其旗も手に入しが。其切たと有者の年恰好(かつかう)は。ホウ年比は廿三四。せい高く色白成女。(61オ)慥に名は小まんと。聞より九郎助夫婦共。のふ夫はわしが娘の小まんじや。まんじやとうろたへ嘆けば御台も倶に。扨こそそれよと骨身(ほね)にこたへ。太郎吉は只うろ〳〵とわけも涙にくれゐたる。

九郎助は老の逸徹(いつてつ)。息(いき)も涙もせぐりかけ。コレ実盛殿。娘が肘は何科(とが)有て切たぞ。むごたらしい事仕やつたのふ。此娘には六十に余(あま)る親も有。七つに成子も有ぞや。よもや盗も衒(かたり)もせまい何誤(あやま)りで。何科で。サア。それ聞ふ。〳〵とせちがひかゝれば女房も。そふじや〳〵親父殿。骸(からだ)はどこに捨て有。次手に夫も聞て下され。ヲヽ夫も。今比は犬の餌食(ゑじき)。当座に死たか。生て(61ウ)ゐるか。サア有やうにいへ。いはぬか。情じやいふて下されと夫婦が。泣出す心根を。思ひやつて実盛。扨は其方達が娘よな。聞も及ばん宗盛公。竹生島詣下向の御船。勢田唐崎の方へ漕出す所に。矢橋の方より廿余の女。口に白絹を引くはへ。ぬき手を切てさつ〳〵と。浮つ沈つ泳くる。あれ助よあれ殺すなと舷たゝいてあせれ共。折からひゐの山颪柴船の助もなく。水におぼれる不便さに三間櫂を投込で。ねんなう御船へ助乗いか成者ぞと尋る内。追手と見へて声々に。其女こそ源氏方。白旗隠し持たるぞ。奪取ばひ取レと。叫る声を聞しより。(62オ)船に居合す飛騨左衛門飛かゝつてもぎ取ん。イヤ渡さじと女の一念。若や白旗平家へ渡らば末代迄源氏は埋木。女が命にかへられずと白旗持たる肘をば。海へざんぶと切落し。水底へ沈しと。船を汀へ漕戻し。骸は陸へ上置しが廻り〳〵て此内へ白旗諸共帰りしは。親を慕ひ子を慕ひ。流寄たか不便ンやと涙。交の物語。

聞程悲しく夫婦はせき上。道理で孫が目にかゝり。取てくれいとわんばくも。虫がしらした親子の縁。三人かゝつて放ぬ白旗心よう放したは。我子に手柄させたさか。死でも夫程可愛か。手にとゞまつた一念が物いふ事は（62ウ）ならぬかと。御台諸共取リすがり泣クより。外の事ぞなき。

涙おさへて太郎吉は。ずつと立ッてヤイ侍ィ。ようか丶様を殺(ころ)したなと。ぐつとねめたる恨(うらみ)の眼(まなこ)。自然(ぜん)と実盛肝(きも)にこたへ。ホウ健気(けなげ)也。たくましや。母が筐(かたみ)はソリヤそこにと。いふにかけ寄肘を抱(いだき)。か丶様呼ンで此手をば。骸(からだ)へ接(つい)で下されと。あなたへ持チ行こなたへ頼。身を投ヶ。伏て泣しづむ。

か丶る嘆キの折も折。所の者共死骸(しがい)を持チ込ミ。コレ〳〵是の娘が切ラれて居た。肘がかたし紛失(ふんじつ)した。外はまんそく渡しますと云捨てこそ立帰る。

ヤレ太郎吉よか丶が顔。是が見納め見て置ヶと。いふにかけ寄リいだき付キ。コレなふか丶様拝(おがみ)ます。無(む)（63オ）理もいふまいいふ事聞ヵふ。物いふて下され。祖父様(ぢさま)。詫言(わびこと)して下されと。泣こがるれば。ヤレ詫言に及ふか。こつちよりあつちから物いひたうて成ルまいけれど。此世の縁が切レてはナ。互に詞はかはされぬ。死骸(しかい)の有リ所をどふぞまあ。尋ふかと思ふたれど。なまなかに持ッて戻り顔見せたらたまるまいと。

そちがねる迄待ッていた。へヱ男勝な女で有ッたが。それが却て身の怨と。成ッて死るか可愛やと。悔涙に女房も。嘸死しなにこなたやおれに。云たい事が有たであろ。太郎吉よ水汲で。樒の花で手向てくれ。イヤ〳〵おりやいやじや。か丶様が物いはにや。聞ヵぬ〳〵とわんばくも夫レ（63ウ）ばつかりが道理じやと思ひ。やる程いぢらしし。

実盛始終手を拱。人々の愁嘆に涙とうかむ一ト工夫。思ひ付ィて傍に立寄。斯かい〴〵敷キ女。譬片腕切たり迚。即座に息も絶まじきが。白旗を渡さじと一ッ心ン腕に凝かたまり。五臓に残る魂なし。再ひ肘を接合さば。霊魂帰り息する事もあらん。誠に彼眉間尺が首。三日三夜煮られても凝たる一チ念ン。恨を報ぜし例も有リ。今此肘に温り有ルもふしぎ。又は御旗の威徳もと。切たる肘に白旗持タせ。物は試と接合せば。我子を慕ふ魂魄も御旗の徳にや立帰り。息吹キ返し。目をひらき。（64オ）太郎吉どこにぞ。太郎吉と。いふに恂りヤレ蘇生たは爰に居る。爰に〳〵と取縋る。ナフ御台様。白旗はお手に入たか。太郎吉にたつた一ト言。地ハルいひたい事がと計リにて今ぞはかなく成リにけり。

詞ヤアこりや小まんよ。コレ小まん。小まんやい。ハア可愛やな。モウそれが遺言か。云ィたい事とはヲヽ合点じや〳〵。そちが筋目の事であろ。何を隠しませうぞ此者は。二人リが中の娘でもござりませぬ。堅田の浦に捨てござりました。コレ御らふじて下さりませ。此懐に持ッております用心合口。金刺といふ銘をほり付ヶ。氏は平家何某が娘と。書付ヶもござりますれば。（64ウ）若親達チが尋てこふか。取リ返しにもこふかと。夫レばつかりを案じて居て。今死ふとは存ませなんだ。生キ返つたが猶思ひ。あんまり是はどふよくな。地上ほゐないわかれと取付ィてわつと。計に泣ゐたる。

地色ハルウ倶に悲しむ葵御前只ならぬ身にせきのほす。五臓の苦しみ御産の悩。地ハル色実盛驚キ。詞ヤアこりや夫婦の者。泣ィて居る所でなし。御台は産の悩 有リ。地ハルいたはり申せと一ト間へ伴ふ間もなく。用意の屏風引廻し。お腰抱やらはやめやら祖父祖母が介抱に。心利たる実盛が彼白旗を押シ立ッれば。実も源氏を守リの印シ。若君安々御誕生(たんじやう)初ッ声（65オ）高く上給ふ。父義賢の稚(おさな)名を直クに用(もち)ひて駒王丸(こまわう)。後チに木曽ノ義仲と名乗リ給ひし大将は。此若君の事なりし。

九郎助嘆キも打忘れ。お生(うま)れなされたいと様の。御家来には此太郎吉。ヲ、それ〳〵。か〻るめでたい折なれば。実盛様御執成(とりなし)と。願へば黙(うなづ)き。ホウ幸ィ〳〵。死たる女の忠義を思へば。骸(からだ)は灰(はい)に成ス共。一心ンの凝塊(こりかたま)りし肘。うかつには焼捨(やきすて)がたし。其手を直グに塚に築(つき)。太郎吉が名を今日より。手塚(てづか)の太郎光盛と名のらせ。御誕生(たんしやう)の若君木曽殿へ御奉公。則チ是が片腕(かたうで)のよい御家来と披露(ひろう)する。

御台は気色(けしき)を改メ給ひ。（65ウ）尤父は源氏なれ共。母は平家何某(なにがし)が娘と。九郎助の物語。一ッ家一チ門ン広(ひろ)い平家。若(もし)清盛が落(おと)し子もしれず。まつ成人(せいじん)して一トつの功(こう)を立テた上でと。仰に実盛ハ、ア御尤至極(しごく)〳〵。

先此所に御座有ッて。若君御誕生(たんじやう)と聞へては一チ大事。義賢の御生国信州諏訪(こくしんしうすは)へ立越エ。御家来権(ごん)の頭兼任(かみかねたう)に預ケ。御成人の後チ再(ふた)ひ義兵(きへい)を上ケ給へ。九郎助夫婦御供とす〻めに任する表テの方。

地ハル
いつの間にかは瀬ノ尾の十郎。小柴垣より顕れ出。ヤアそりやならぬ〳〵。斯有んと思ひし故。死骸を持タせて窺ひ聞ク。義賢が躮男ン子（66オ）とあれば見遁しならず。いで請ケ取ランとかけ入レば実盛やがて立ふさがり。ア、これ。貴殿も生キ通しにもせまい。海共山共しれぬ水子。見遁しやるが武士の情。ヤアいふな実盛。扨は汝二タ心な。平家の禄を喰で源氏の胤を見遁す不忠。ぐつとでも云て見よ。じたい此くたばつた女めが。白旗奪ひ取ッたるゆへ。平家方は夜がねられず。思へば〳〵重罪人めと。死骸を立チ蹴にはつたと蹴飛し。サア生れたがきめ渡せ。異義に及ぶとなで切と飛ンでかゝるを太郎吉が。母の譲の九寸五分抜より早く瀬ノ尾が（66ウ）脇腹。ぐつと突たる小腕の力。是はと人々驚く中チ。ようかゝ様の死かいをば。踏たな蹴たなと。ゑぐりくる〳〵流石の瀬ノ尾。急所の痛手にどつかと伏ス。ヤレでかしやつた〳〵とほめそやしても夫婦共。跡の難義を思ひやり胸轟す計也。

地ハル
暫く有ッて瀬ノ尾の十郎。何ンと葵御前是で太郎吉は駒王殿の。御家来にならふがの。平家譜代の侍イ。瀬尾

の十郎兼氏を。討チとめた一トつの功。成人を待タず共。召シつかはれて下さりませ。誠に思へば一ト昔。部
や住の折から。手廻りの女に懐胎させ。堅田の（67オ）浦へ捨たる。平家の何某は某。又廻り逢印シにと
相添置キたる此剣キ。廻クり〳〵て我骸。豁をかけて金刺と成ッたも孫めが。不便ンさ故。初メての御家来に平
家の縁と嫌はれては。娘が未来の迷ひといひ。一生埋れる土百性。七つの年シから奉公せば。木曽の御内
に。一チといふて二のなき家来。取リなし頼む実盛殿。サア瀬尾か首取ッて初奉公の手柄にせよと非道に根
強侍も。孫に心も乱れ焼。すらりとぬいて我首へ。しつかと当テて両手をかけ。ゑい〳〵と引落す。
難波瀬ノ尾と平家でも。悪に名高き其一人リ。（67ウ）最期は遉健気也。
夫婦もなく〳〵其首を太郎に持タせ御目見へ。葵御前は若君抱。初メての見ン参ンに。平家に名高き侍を討チ
取ッたる高名。主従三世のきゑんぞと。仰を聞クより太郎はつつ立。サア是からはおれは侍イ。侍イなれば
か丶様の敵。実盛やらぬと詰かけたり。ホヲ、遖々去ながら。四十近カき某が。稚汝に討タれては。情

としれて手柄に成ルまい。若君と諸共に信濃国諏訪へ立越ェ成人して義兵を上ヶよ。其時実盛討ッ手を乞請。古郷へ帰る錦の袖ひるがへして討チ死せん。先ッ夫レ迄はさらば〳〵。何れもさらば。家来共。のりかへ引ヶと呼はれば。はつ（68オ）と答て月額。栗毛の。駒を引出す。

手綱追ッ取乗ル中チに何国に隠れ居たりけん。矢橋の二惣太踊出。ヤア先キ達ッて注進の褒美を無にした其かはり。実盛か二タ心で。駒王丸を北国へ下す段々直キに注進。詞つがふた争ふなと云捨てかけ出す。実盛透さず馬上より用意の鑰縄打かくれば。首にかゝってきり〳〵〳〵。引寄セ引上ヶひつ掴。適　儕レは日本一の。大欲無道の曲者めと。鞍の前輪に押シ付ヶて。首かき切て捨てけり。

其後手塚の太郎。母が筐の小相口。金刺取ッて腰にぼつ込ミ。綿繰馬にひらりと乗リヤア〳〵実盛。かゝ様（68ウ）殺して逃クるかいぬか。もふおれが名は手塚の太郎コリヤ。此。金刺の光ッ盛也。いなずと爰で勝負〳〵と呼はつたり。ヲ、でかした〳〵。蛇は一寸ンにして其気を得る。自然と備はる軍の広言。成人して母の怨。顔見覚て恨をはらせ。イヤ〳〵申シ。孫めが大きう成ル中チには。其元様は顔に皺。髪はしらがで其顔かはろ。ム、ウ成ル程其時こそ。鬢髭を墨に染。若やいで勝負をとげん。坂東声の首とらば池の溜りで洗ふて見よ。軍の場所は北国篠原。加賀の国にて見参ン〳〵。けに其時に此若が。恩を思ふて討タすまい。いき（69オ）ながらへておつたらば。此親父めが御旗持チ。兵糧焚はわたしが役。首切ル役は此手塚。ホウ。ヲ、。〳〵互に馬上でむんずと組。両馬が間ィに落る共。老武者の悲しさは。軍にしつかれ。風にちゞめる古木の力ラもおれん。其時手塚。合点〳〵。ついに首をも掻落され。篠原の土となる共。名は北国の街に上ケん。さらば〳〵と引別れ。帰るや駒の。染手綱隠れ。なかりし弓とりの名は。末代にあり明ケの。月もる家をあとになし駒を。はやめて立かへる（69ウ）

第四

天をも計。地をも計ッつべし。量がたきは人の心なるとかや。安芸守平ノ清盛。しか〳〵の御企 有迚後白河の帝。大納言成忠卿を鳥羽の北殿に押シ込置キ。遉天理を恐れてや日毎〳〵の院参に。百性共は田畑を止道に盛砂箒 目入レ。敬ひ恐るゝ平家の威勢。上り下りの旅人も道を横ぎる計リ也。

四つ塚東寺の庄屋年シ寄袴 羽織でかけ廻り。最早あれへお乗リ物往来も先キ退て。片寄レ〳〵下に居よと地に鼻。付クれ（70オ）ば程もなく。先キ払ひの徒の者。二行に立ッて対の轆酌 揃へのかんばん。先キ乗リ物は父の清盛。跡乗リ物は次男ン宗盛物見より顔指出し。しらぬ野山を詠め行まだ児髷の公達姿。常の権威に事かはり。行粧かるき供廻り。鳥羽の御所より見送クりの為に迚多田蔵人行綱。今は名もかへ姿さへかはり果たる仕丁の藤作。布衣の出立り、敷クも。御乗物に引添たり。
早夕暮も程近カくおぼろに見ゆる鳥羽大路の。並木のかげより誰共しれず。甲頭巾に目計リ出せし侍一人ン。
出ると見へしが二人の先キ手を弓ン手馬手へ踏倒せば。数多（70ウ）の家来徒士若党。狼藉者遁さじと右往
左往に追ッ取まくを。はり退ぶち退取ッては投ケ掴では打付ケ。間もなくかゝるを宙に堤がはと投ケ。つゞい
てかゝるを前ン後左右へ投ケ付ケ〳〵。投ケちらしたる手垂の曲者。
稚けれ共宗盛乗物よりおどり出。人はなきかあれ組留メよと下知有レば。跡に控へし仕丁の藤作たまり兼て
飛ンで出。儕レ何やつなれば。当時清盛公の御乗リ物先キにて狼藉を働は命しらず。搦捕ぞと布衣の袖まく
り上ケ。用意の早縄すびきしてずつと寄ルを寄付ケぬ。白ラ刃の切ッ先キ藤作が。眉間を矩に切付クるを引ぱづ
しかいくゞり。刀持ッ手（71オ）をむずと取ル。とられながら後さまに突かゝるを身をひらき。横間ィより
急所を一つ真の当。うんとのるを引ッかづきもんどり打せのつかゝり。両腕捻上ケ早縄たぐつてぐつ〳〵と。

〔ハル〕くゝり上ヶれば彼曲者(かのくせ)。ヱ、〔ウ〕無念ン口惜(おし)と立上るを引〔色〕据(すへ)〳〵。〔詞〕おこがましう候へ共仰に任せ仕丁(じてう)の藤作。

〔地ハル〕搦捕(からめとり)候と御目〔フシ〕通りへ引据(すゆ)れば。

〔地ウ〕乗物の戸をひらき立出るは清盛ならで。〔ハル〕嫡子(ちやくし)小松の〔ウ〕重盛也。藤作はつと〔中〕驚(おどろ)けば。しづ〔ウ〕〳〵と囚人(めしうと)に打〔色〕向ひ。〔詞〕儕レは正しく武士の浪人よな。其いやしき風体(ふうてい)にて。重盛に向ひ意趣遺恨(ゐしゆゐこん)有べき様なし。察(さつす)る所保元(ほうげん)平治に討漏(もら)されたる。為義義朝(よしとも)が一チ類(るい)ならん。都へ引(71ウ)せ一チ々に白状させんづ。ヲ、汝。仕丁(てう)には似合(にあは)ざる武芸(げい)の鍛錬(たんれん)でかしたりと。〔地ウ〕詞に行綱身を〔ハル〕へり下タり。〔ウ〕コハ有がたき御〔色〕仰。〔詞〕身不肖(せう)の藤作。狼藉(らうぜき)者を搦(からめ)しは全(まつたく)我が働(はたらき)ならず。平家の御威勢を頭に戴(いたゞ)き。ねんなう仕り終(おほ)せし也。〔地ウ〕併シ今日の御院参ンは〔ハル〕我々迄も。〔ウ〕御父君とこそ存ぜしに。〔フシ〕思ひ寄ラざる重盛公と。しさつて頭を地に付クれば。

〔詞〕ヲ、左思ふも理(ことは)り。此度父清盛。帝を鳥羽の離宮(りきう)に押シ込奉リ。普(あまね)く天下に。悪ク逆(きやく)不道の清盛といはるゝは平家の嘆キ。〔地中〕子として〔ウ〕父の非を改(あらた)め達ッて御教訓(けうくん)申シたれ〔ハル〕共。〔ウ〕一円に承引(あんせういん)なければ我レ密(ひそか)に〔中〕父にかはり。〔詞〕毎日〳〵鳥（72オ）羽の離宮へ院参ッして。父の不道をつくなふも重盛が寸ッ志の孝行。二つには。君の御憤を晴し奉らん為なるぞや。下々なれ共心剛成藤作。父清盛に申上ヶ。武士に取立得させん。向後は心を配て帝の御守護致すべし。罷立藤作。はつと計に平伏し。冥加に余る身の面目。仰に従ひ是よりも罷帰り候はんと。口にはいへど心には此体ならば帝をも。念なう奪ひ奉らんといさみ〳〵て藤作は。鳥羽の離宮へ立帰る。

重盛跡を見送リ〳〵。我推量にちつ共違はず。きやつが今の働只者ならずと。囚人が縄切ほどき。甲頭巾取ければ。平家の侍ィ飛騨ノ左衛門。（72ウ）皆々はつと驚けばシイ。音高し〳〵。諸事は此重盛が胸中に有リ。家来共乗リ物やれ。いざさらば宗盛と兄弟打連レ悠々と。歩をひらふて西八条の館をさして　へ帰らるゝ。

きのふ迄秋の雲井の御住居も。けふは淋しき冬がれに。憂目は兼て後白河の帝を押シ籠奉る。鳥羽の離宮の配所の軒。木の葉を。払ふとのもりの伴の。宮造はき掃除の仕丁ならで。御宿直の武士もなく。草木も靡ぬ世の中に。庭の。紅葉のかうゑう計叡慮に。したがふ風情也。

三人の仕丁共。箒さらへで頬杖つき。はけば跡からちる木の葉。手（73オ）も足も草臥果た。ア、いやの掃除役。コレ又五郎そふいやんな。帝様さへもの事が自由にならいで。成リ忠様と諸共に押シ込られてござるじやないか。あなたから見てはこちらが術なみは何ンでもない。しんどい時は此橳木や紅葉を見て。草臥を休みやいの。ノウ平次そふじやないか。ヱ、うまい事いふの藤作。花や栬を楽しむは上ェつかた。おいらは草臥休めにあつがんで一ッぱい引請ケ。此寒さが凌たい。ほんにぬるでの次ィ手に彼。見事人ンの橳木の局。いつも掃除する時はちよこ〳〵とわせて。侍従の紅葉のといふ外の女中を押シ退。あほうのたら〳〵（73ウ）尽されてよい慰じやに。けふはなぜにわせぬぞい。サアあの橳木殿も顔なら姿なら。云ふ所のない器量じやに。あつたら事は水晶のけづり屑で。役に立ぬおぬく女良。大切ッな帝様に。あの様な足ぬわろを付ヶて置ク。清盛からしてうまいわろと。譏るかげ口あくた口。さらへ箒を取リ々に。はけ共尽ずちる木の葉。風が持テくる。衣の香に。心ときめく。御所女中。名も時に合ッ紅葉の局。眉目も姿も恥ね共。たらぬ心のぬるでの局。跡につゞいて待ッ宵姫。名も小侍従とかはり行。朝な夕なの御所勤。木々の錦を詠（74オ）めんと。椽先に打連レ出。アレ紅葉様ぬるで様。見る度々に梢の色も一ト入まさり。今が紅葉の真盛。何ンと見事じやないかへと。半分ン聞ィて指出るあほうの早合点。フウあの紅葉の赤いのを見事なといふじや迄。それでよめた事が有ル。わしが名は樠木の局。此様に真赤な緋の袴きて居る故。夫レで見事といふであろ。紅葉様も同し様にまつかいな物きてなれど。見事なと云人がないはなぜにじやへ。ヲ、もふよいわいな。毎日おまへの根どひはどひに。わしもほつと草臥果る。イヱ／＼夫レでも其様子。イヤ其訳は此（74ウ）藤作が申て聞しませふ。もとお前方の名は。帝様の御寵愛なさるゝ此紅葉。樠木の木に寄てお付なされたげな。取分樠木様の色が勝つた故。夫でおまへを見事なと御所中で申ます。

サア其又色が勝つたとは。どふした事しやいふて聞しや。イヤもふそふ問れては。此藤作もながさにやならぬ。ヲ、其事は此侍従が。おまへにいふて聞しませう。色の勝るといふ歌に。いかにせん。忍ぶの山の下栬。見る度ごとに色まさるとは。楠木様合点がいたか。ナア。合点かと藤作に。顔でしらする合図の歌。ヲ、其歌（75オ）なら此楠木がよう覚てゐる。皆も聞て下さんせと。声おかしくも拍子とり。紅葉ふむ鹿憎いといへど。恋のふみかく筆となるよいやんな。　コレわしやよう諷をがの。何と見事か〳〵と。いふ顔付に興さめて。笑はれもせぬ配所の御所ふつと吹出す計也。

コレ皆何がおかしい。フウ扨は歌諷はして笑ふのじやな。よう覚へて置しやんせ。帝様に申上勅勘を蒙らすと。顔をあからめ楠木の局。ぴんしやんとして入ければ。なふ紅葉様。あほうなくせにむくろ腹。何申あげふやら。ヲ、しれぬぞへ侍従様。此儘では置れ（75ウ）まい。サア〳〵お出と打連奥へ走り行。

何と又五郎。人には様々の有物じやの。されば〳〵。平次もおれも見てゐたが。あほうをなぶると得て跡

が喧嘩仕廻。おいらも祟のこぬ中に。仕残した掃除して仕廻ふ。日が短い精出そと。箒さらへをてん手に
提奥庭深く入にける。
侍従は奥の透間を窺ひ庭に。おりしも人なきは。幸の上首尾と。紅葉の木影隅々を尋廻れば藤作も。忍べ
と有相図の歌に奥庭より引返し。逢も妹背の縁の綱。のふ行綱様待宵かと。声をひそめて。首尾はとふじ
や。（76オ）どうじやかうじやの段かいな。毎日お顔は見るけれど。人目にせかれ云ィたい事も得いはず心
に思ふてゐる計。ほんに今の相図の歌。よう合点して来て下さんした。そりやしれた事。おれもやさ蔵人
迚。歌の一首もつらねた者。合点せいでよい物か。ほんに仕馴もなされぬ業で。御苦労にあろお寒かろ。
此手の冷る事わいのと。肌に引入引しめて。是が多田ノ。蔵人行綱様の形かいな。いとをしの有様やと。
声をも立ずむせ返り忍ビ涙にくれければ。
ア、声が高いひそかに〳〵。いふに及ばぬ事ながら。夫婦（76ウ）此御所へ入込ミしは。帝を奪取ル為なら

ずや。ヱ、余の事いはずと叡慮具に物語れと。呵付ヶられ涙をとゞめ。自迚も父上の末期の一ッ句忘られず。様々心を尽せ共。昼は重盛一度つゝ院参して。何事も心に任せず。夜は紅葉の局樠木の局。御座の間を離ねば。何を奏する首尾もなし。此事お前に咄したさと。語るを聞ィて行綱も。暫し思案にくれけるが。ムウそうじや。べん〳〵と首尾をはかり。事顕はれては無念ンの無念ン。もふ此上は蔵人が運を天に任せ。さゝへる者を切ちらし。（77オ）帝を奪取夜に入て立のかん身拵せよ女房と。兼て用意の懐刀渡せば受ヶ取脇挟。せいて仕損じ給ふなとかい〴〵敷ク力を付ヶ。しめし合せて待ッ宵姫一ト間の内へ入にける。

掃除仕廻て又五郎平次。奥庭よりこゞへ出。ヱ、藤作悪ルいぞよ。平次とおれに掃除をふり向ヶ。爰に何してゐやるぞ。サイノ。おれもあんまり寒さに。火なとたいてあたらそと思ふて爰へ来れど。焚物はなしふるひ上ヵつてゐるはいの。ヲ、そりやおいらも一ト当りあたりたい。幸ィな此紅葉の枝。ぶち折て焚火にせうと。心なき仕丁共盛リ（77ウ）の紅葉をへし折リ。踏折ル落花狼藉。木の葉かき寄セ摺火燧。ほくちにうつせは。秋の山のはげ敷嵐に吹付ヶられ。感陽宮の。煙の中。サア〳〵藤作来てあたれと。足を投ヶ出し尻もつ立テ。ア、心地よや。是で惣身が温り。とんと寒さを忘れたと。暖気を衛士の篝火ならで。三人たき火に余念なく。しらぬ小歌の折こそあれ。

一間の内よりぬるでの局つか〳〵と立出。ホ、ヲ大事の紅葉を。たき木にしてぽつぽらぽ。王様の聞しやつたら。大抵や大かたの事じやないと。いふに三人恂りはいもふたき火を打消踏(78オ)消て。あんまり寒さに大事の紅葉共存ぜず。折てたいたは不調法と詫事言たら〴〵なる所へ。

侍従紅葉は銀の銚子土器携。しとやかに立出テ。仕丁共御寵愛の紅葉をあらせしと。君ほのかに聞し召。中々御怒の色目なく。紅葉を折てたき火とせしは。狼藉に似て狼藉にあらず。林間に酒を温て。紅葉をたくといふ詩の心。下タ々には心ある者共と叡感有。寒夜には御衣を脱し帝も有。嘸寒からんと君より九献を下さるゝ。皆有がたう思やいのと。聞より三人ン蘇生たる(78ウ)心地にて。おづ〳〵と這出。科を御赦さるゝさへ有ルに。勿体ない我々にお酒迄下さるゝは。ナア又五郎平次。有がたいと申シませうか。忝いと申ませふか。ぬるで様。侍従様。お礼おつしやつて下さりませ。ヲヽそりや侍従がよい様に。必々酒過して大事を忘れまいぞやと。いふに楠木がでかし顔。コリヤ仕丁共。酒がきれたら長廊下の鈴をならしやかへにこふと。侍従紅葉も諸共に打連レ奥に入にける。

アヽ大きなめに逢ふかと。案じたとは違て忝い。マア〳〵一ッはい呑ふ〳〵。かん仕や藤作合点かと。木の葉落葉を（79オ）かき寄〳〵吹付ヶたき付ヶ。是を見よ。綸言に酒を温ゝめ。紅葉をたくじやの。殿上から御赦された酒なれば。是がほんの天井ぬけ。サア〳〵かんもよい又五郎平次と。大土器を取出し。是で一トつ宛。マア〳〵藤作から。ハテ年シ役に又五郎初みや。ヲヽそんならそふしやう。帝様から下された御酒なれば。こちらが呑ム並酒と違ふて。うまい〳〵と舌鼓。なるは滝呑引受ヶ〳〵。

藤作おさゐふ。そんなら平次が間をせう。てうど〳〵とさいつ。さゝれつ。数重りて。とろ〳〵目。なんと藤作平次。忝い事じやないか。さつきにはしばり首も討タ（79ウ）れうと思ふたに。火いらずを下されて。此様にたべ酔といふは。誓文ぞ此又五郎。有がたうて涙が。こぼれる。お慈悲ぶかうは有リ。御酒は結構也。是が。泣カずにゐられうかと。むせび入レば藤作。ハツ、、、、ワハ、、、泣クは〳〵。ワツハ、、、、。こりやおかしい。ねはん像にもわれ程泣ク物はない。ヲ、おりや。又われが笑ふので猶悲しい。〳〵と。霰の様な涙をこぼし。しやくり上クれば。ヤこりやたまらぬ。ハアハ、、、〳〵。臍がよれると打こけて。腹をかゝへる笑ひ上戸泣キ上戸。中に平次がむつと顔。わいらは泣イたり笑たりするが。天子から下された酒が不足でそふ（80オ）するのか。もふあなたには構はせぬ。平次が帝の尻持ッて。びやくらい此訳立テねは置カぬ。ぐつとでもいふてみよと。睨廻す腹立チ上戸。二人は只一ッ心ン不乱。泣つ。笑ふつ巻かける。くだもつれて目もちろ〳〵。何をいふのも夢半分ン。将棋倒にばた〳〵と。笑ひねいり泣キねいり。腹立テねいりに正体なく。入相告る鐘諸共。がう〳〵〳〵と高

いびき御所も。〽ひつそとしづまりぬ
時も移(うつ)さず。藤作は空寝(そら)入の頭を上。辺(あたり)を見廻しすはよき時節(じせつ)と。二人が寝息(いき)を窺(うかゞ)ひ〳〵。してやつたり
と小（80ウ）踊(おどり)し。布衣(ほゐ)をひらりとぬぎ捨れば。肌(はだ)には兼て用意の着込(きごみ)。大床(ゆか)の下に隠せし腰刀。おつ
取ッて脇ばさみ。いづくより入べきと。ためらふ所へ妻の侍従。一ト腰ほつ込ミ走り出。サア行綱様。君の
お傍(そば)に人もなうてよい時節(じせつ)。案内(あんない)は此侍従サア〳〵早うと気をいらてば。ヲ、女房でかした。何ン条刃向(でうはむか)
ふやつばらは。追まくり切ちらし帝を奪(うば)ひ奉らん。きやつらが目のさめぬ中チと。夫婦諸共階(きざはし)を。上る足
音トしらさじと。ぬき足指(さし)足女房しづかに。ヲ、合点とときつく胸を押シしづめ。虎(とら)の（81オ）尾(を)を踏毒蛇(ふみどくじや)
の口　なんなく奥へ忍び入ル。
二人の仕丁むつくと起(おき)。盛次(もりつぐ)見たか。ヲ、忠光ッ見付ケた〳〵。油断(ゆだん)するなと布衣(ほゐ)をぬげば同ク着込(きごみ)。箒(はうき)さ
らへに仕込ミし刀提(ひつさげ)〳〵。今や出ると待チ居たる。

〔地色ウ〕かく共しらす蔵人は。帝に〔ハル〕薄衣(うすぎぬ)着(セ)まいらせ。〔ウ〕背中(せなか)にしつかと負奉(おひ)り。〔ウ〕妻(つま)も跡に引添(そふ)て。〔ウ〕天へも上る其勢(いきほ)
〔フシ〕ひいさみ〳〵て立出れば。〔地色ウ〕庭にすつくと越中上総(ゑつちうかづさ)。〔ハル〕行先(キ)をさへぎつたり。〔ウ〕行綱夫婦もはつと仰天(げうてん)。次郎
〔ウ〕兵衛す丶み出。〔色〕汝此御所へ〔詞〕仕丁(じてう)と成(ッ)て入込(ミ)しが只者ならすと見付し故。かくいふは越中(ノ)次郎兵衛（81
ウ）盛次。上総(ノ)五郎兵衛忠光。重盛の仰によつて諸共に仕丁と成(リ)昼夜(ちうや)付(キ)添(そひ)はかる所に。主君の賢慮(けんりよ)に
ちつ共違(たが)はず。帝を奪取(ばひ)立退(のか)んとする曲者(くせ)。必定(ひつぢやう)源氏の残党(ざんとう)ならん。越(ッ)中上総が搦捕(からめとる)。〔地ハル〕覚悟(かくご)〳〵とい
はせもあへずから〳〵と〔色〕笑ひ。〔詞〕ヲ、子細(しさい)有(ッ)て帝を奪取(ばひ)(ル)此藤作。適(あつはれ)手柄(がら)に組留(くみとめ)よと。〔地ハル〕庭にひらりとおり
〔色〕立たり。〔詞〕盛次ゑたりと飛か丶るをどふと踏(ふみ)すへ。向ふてか丶る上総が頭(かうべ)。刀の鍔(つば)にてはつしと打(ッ)。うた
れてひるまず左右(さゆう)より両人一度に取付(ケ)ば。〔地ハル〕蔵人はびく共せず。〔色〕〔詞〕ヤア我を組(くみ)とめんとはしほら（82オ）敷(キ)
越(ッ)中上総。サア。ならば見事搦(からめ)てみよと。〔地ウ〕二人が首筋ひつ掴(つかみ)。〔ハル〕弓(ン)手馬手(め)へ投(ケ)退(のけ)〳〵。〔ウ〕阿修羅王(あしゆらわう)の荒(あれ)た
〔フシ〕るごとくふんぢかつてつ丶立(ッ)たり。

帝は侍従が膁掴でどうど投ヶ。足下にふまへめしたる薄衣袍。ぬぎ捨給へばこはいかに。肌に着込の
荒くれ武士。よく〳〵見れば布引にて。雷にうたれ死たりし。難ン波六郎常俊也。蔵人はつと驚けは。難
波六郎大音ン上。ヤア〳〵藤作とやらよつく聞ヶ。此度君の御謀叛隠れなきによつて。清盛公の御憤 ふか
く帝並に成リ忠卿を。此御所へ押シ込メ置ヶ共。手のうら返す清盛公（82ウ）の御政道。万ン一帝に御過 有
ては。平家の瑕瑾家の断絶と。主君重盛此事を深く嘆キ思召ス是又一ッ朝一ッ夕ならず。去ルによつて。雷の
発る時刻を考。布引の滝壺にて霊女に逢しと偽り。雷 にうたれあへなく死たる体に見せ。跡をくらまし
女房紅葉諸共。此御所へ入込ミ帝に代 奉り。誠の帝は主君の館へ。蜜に供奉し給ひし也。サア贋帝でも大
事なくば。藤作来つて奪取レと。侍従を足にてどうと蹴やりはつたと睨で立たりけり。ヱ、重盛が計略に
はおとりしな。死物狂ひに藤作が。刀（83オ）の切レ味心みよと。切ッて出んとする所に。いづくより共白
羽の矢蔵人が。弓ン手の袖を菱にぬふて。射通せばハ、、、、はつと。驚く後に小松の重盛。重藤の弓

携するくと立出給ひ。藤作が義は追ッての事と御殿ンに向ひ。父清盛の心和らぐ迄は。六郎則チ後白河ノ院成ルぞ。ハア、恐れ多き帝の出御。紅葉はなきか。奥へ入御なし奉れと頭を。さげて敬へば。辞するに及ず六郎も一ト間の〽内へ入にける。

重盛悠々と床机にかゝり。ヤア〳〵行綱。重盛が肺肝を砕きし帝の尊顔。とくと拝し奉りしか。今其方が弓ン（83ウ）手の袖射通せしは此重盛。汝其矢をとつくと見よ。布引の滝にて其方が某に射付ケし矢。其時即座に縛首討ッべきを。重盛心ン中に祈願有ル故。白状に及ばず命を助ケかへせしが。今にいたつて其者の名もしらず。尤面をよごしたれば。面体は猶見しらね共。枡花女より源トの頼光に給はりし。水破兵破の矢を以ッて。某に射付ケしからは源氏の残党。多田ノ蔵人行綱と見しはひが目か。今某が射かへしたる水破の矢。わづかに袖を射通したれど。蔵人が肝のたばねを貫き。命を（84オ）助けし大恩。五臓六腑にこたへ重盛に向ひ。一チ言の返答はよも有ルまいと。未前をさゝれて遉の行綱黙せしが。ホ、ウ重盛の眼力に

違はず。我こそ多田ノ蔵人行綱。木曽ノ先ン生義賢と心を合せ。天晴平家を亡ぼさんとはかりしに。事なら
ずして義賢もあへなく生害。我是なる娘を娶て。舅先ン生が遺言を守り。帝を奪ひ取リ東国に赴き。
兵衛ノ佐と心を合さんとはかり。此離宮へ夫婦一ッ所に入込ミしに。布引にて其方に一チ命を助られし。情の
恩にからめられ。(84ウ)刃もなまり刃向はれぬは蔵人が運の尽。再び源氏の白旗を都の空に靡す時節。
いつの世に有べきぞ。ヱ、無念口惜やと。五臓をもみ上ケ。血の涙。サア〱越中上総。一ッ時も早く搦
捕と。手を廻したる覚悟の体。早縄たぐつて盛次ク。づつと寄ッて行綱を高手小手にいましむれば。
侍従は夫トにすがり付キ。浅ましき此縄目と人目も恥ず泣居たる。ヲ、行綱健気の白状。平家に弓引キ敵た
ふ者は。親でも子でも赦さぬといふ。依怙贔屓なき政道を見すべし。それ〱上総(85オ)越中。用意の
物こなたへと。詞の下タより下モ部共見るもいぶせき牢輿に。ぬるでの局引添て。御庭に舁すゆる。
重盛輿に立寄ッて。此度成忠卿の御科。父清盛へ様々と嘆キしによつて死罪をなだめ。備前の小島へ流罪

極る。必重盛が疎略と思召サるなと。聞クよりも成リ忠卿物見より顔さし出し。是迄聟舅の深切忘れがたしと。涙にむせび入給ふ。こらへ兼てぬるでの局わつと計リに。泣ければ。ヲ、みだいは悲しい筈。目前親を擒にせられ。あほうにならずば居られまいと（85ウ）の給へば。園生の方涙をとゞめ。ほんに世の中に自程。情ない身の上が有べきか。此度君と諸共に此鳥羽の北殿に。押シ込られてござるは父上。押シこむるは自が夫ト。中に立たる此園生。悲しい計リかどふ心が済物ぞ。せめて囚はれの中チなりと孝行が尽したく。君の守護やら父上へ宮仕やら何やらかやらに檽木と名をかへ。常の気では居られぬ故。あほう〳〵と指ざしせられ。うた〳〵しう暮す中チ。重盛様の執成で。父のなんぎもけふやゆりるあすや赦ると。待チ暮シたかい（86オ）もなう流し者のに成リ給ふか。父上ひとり助ケ兼るふがゐのない娘なれば。只いつ迄もあほう〳〵。あほう烏も。友ならばかはいと思ふてくれよ迚。夫トを恨身を恨かつぱと伏て。泣給ふ。三世を見ぬく重盛に。つれ添御台のあほうとは作りあほうの手本ン也。ヲ、道理〳〵去リながら。天下の政道(たう)を守(まも)る重盛なれば。聟舅(むこしうと)迚用捨(ようしや)はならず。時節(じせつ)を待ッて父清盛へ帰洛(きらく)の願ひ申シてみん。夫レ迄は成リ忠卿も命目出たうおはしませ。とはいふ物の定めがたきは世の有様。重盛此度(たび)（86ウ）帝を入かへ置たるも。父の悪事をとゞむる術(てだて)。此術を行(おこな)ふも一ッ方は君。一ッ方は父。孝(かう)を立ッれば不忠と成リ忠を立ッれば不孝と成ル。忠孝二つを全(まつた)くせん為昼夜(ちうや)心を苦(くる)しむ重盛。果報(くははう)は上ェなき身なれ共。匹夫(ひつぷ)下郎におとつて情なき我身の上。父の悪逆やまずんば一チ命ィを取ッてたべと。熊野(くまの)権現(ごんげん)を祈(いのり)奉ッれは。けふやあすやとかげろふの。死を待ッ計リの我命。かほどに思ふ重盛が心の中チ。成忠卿。越中上総。蔵人も思ひやれやと計にて。智勇(ちゆう)を兼し（87オ）大将の世を恨(うらみ)身を悔(くやみ)。悲しみの涙はら〱〱とゞめ。兼させ給ひければ。越中上総諸共に。切(せつ)なる心を感(かん)じ入目をしばたゝく計リ也。

早鶏鳴(けいめい)の時来れりと追ッ立テの官(くはん)人ン共。ばら〱と立チ出れば。さらば〱と成忠卿(けう)。重盛に一チ礼述(のべ)。名残(なごり)を惜む親子の別れ。御台所も尽(つき)せぬ嘆キ。父の卿は行ク嘆キ。あらけなき武士(ものゝふ)共輿の前後を打かこめば。

重盛公御声高く。ヤア／＼盛次ク。行綱は此小松がはからふ旨(むね)有。汝にとつくと預ヶたぞ。忠光ッは其侍従。女（87ウ）なれば構(かま)ひなし。しるべの方へ流し者。命まつたう時節(じせつ)を待テと。情の詞に忝け涙。はら／＼鳥と諸共に無常(むじやう)を告(つぐ)る。明の鐘(かね)。

侍従はいとゞ悲しくて。かくこそ思ひ。つゞけけり。待ッ宵に。ふけ行鐘(かね)の音(こゑ)聞ヶば。あかぬ別レの。鳥は物かは。ヲヽしほらしき別れの詠歌(ゑいか)。我レも返歌(へんか)と立とゞまり。物かはと。君がいひけん。鳥の音の。此あかつきは。悲(かな)しかるらんと。詠(ゑい)じ捨たる言(こと)の葉にて。待ッ宵の小侍従物かはの蔵人と。呼伝(よびつた)へしも。歌の徳(とく)。武(ぶ)勇の徳も世につれて。（88オ）憂目(うき)をみそじ一ト文字や。千(ち)筋の縄にからめられ。ひかれ出れば下モ部共早かき上クる。牢輿(らうごし)を御台所は見送(おく)りて。父の顔ばせ今一ト目。見せるも。涙見る涙。蔵人夫婦は引別れわつと泣たる哀傷(あいじやう)離別(りべつ)。一世と二世の別れの涙幾重(いくゑ)の。袖をやしぼるらん

第五

三下り歌 柴をかりや〳〵。柴かる手もとはさつても見事へ。鎌をかる〳〵テモ扨ッても見事へ　とうたひ

地 つれ立ッ年シ月も。重りて。比は承安初メつ（88ウ）かた。所は木曽の山育。十六七を頭とし打つれ立ッた五人連レ。柴をしばしと腰打かけ。

詞 マア休めやい。わいらはいつでも大柴。親父が又機嫌で有ロ。ヱ、次郎がなぶるなやい。われは此中での達者もの。一人リして五人前。ハテそりやしれた事。あの太郎やませめは。こちの親仁がどつからやら連レてきて。兄弟同前にせいといはる、けれど。気にくはぬはちよつぽりめ。地 柴はからずにほで転業骨鱠喰ふなと。いがみか、ればコリヤ太郎が貰ふた。あれもおれも一ッ時に来た傍輩。明ケて十一まんざらの乳呑

ふ。〔地ウ〕殊にけふは初ッ山。〔ハル〕年だけに了簡（りやうけん）（89オ）せいと押シしづめ。〔色〕イヤ忘れた。〔詞〕おれは在所（ざいじよ）へ柴の約束（やくそく）。内へはいなれぬ是から直クに。四郎も三も頼ムぞよ。喧嘩（けんくは）せずと中よう〳〵。イヤ是はさと。〔フシ〕柴打かたげ急き行。

〔地ハル〕跡に三人顔見合せ。〔色〕〔詞〕サア尻（しり）持チの太郎はいんだ。ヤイちよつぽりめ。此四郎や三が挨拶（あいさつ）。次郎に誤（あやま）つて今から腕（うで）立テひろぐなよ。〔地色ウ〕誤つて手をつけと〔ハル〕二人リが〔ウ〕中に〔中〕取巻（まい）て。〔ウ〕サア下に居よすはりおれと。〔ハル〕おせどしやく〔色〕れどびく共せず。〔詞〕事新敷（あたらしき）一言（ごん）。誤れなんどゝいふ事は。武士の降参（かうさん）も同じ事。マアそんな面倒（めんだう）な事いふ様なおれじやない。誤らねば又何シとする。〔地ウ〕ヲ、かうするとひつ居る。〔ハル〕沈（しづん）で〔ウ〕直クに〔ウ〕二人が足首はね返され。腰（89ウ）骨うんと〔中〕尻（しり）込す。〔詞ノリ〕次郎すかさず山枴（おうこ）。てつぺい砕（くだ）けと打付クる。鎌にて丁ど身をひねり。引ケば払（はら）ひ〔地ハル〕払へば付ケ込ム身の捌（さばき）。〔ウ〕次郎声かけ〔色〕待テ〳〵。〔詞〕コリヤ四郎よ。三よ。わいらはきよろりと見て計リ。おれ一人リでは手に合ぬ。わいらもかゝれ合点と。〔地ウ〕おとなげなくも〔ハル〕三人が中に〔色〕取まく山枴（おうこ）。〔詞ノリ〕こつちも合点と手比の棒(ぼう)。裾(すそ)を払へば踊(おどり)こへ。又打かくる山枴の上にすつくり片足立(かたし)チ。ひらいて打ッ手を柴にて受ケ。或ィは当テられ枴も微塵(みぢん)。組ンでとらんと三人が火水に成ッて取付クを。ヲ、まつかせと枴のむね打。目鼻も分ヵずてう〳〵。打れて三人跡すさり叶はぬ赦(ゆる)せと。閉口(へいこう)す。

物かげより権(ごん)（90オ）の頭兼任(かみかねたう)。つつと出て手をつかへ。ハア、適(あつはれ)成ル御働(はたらき)驚キ入奉る。君の先ン祖を躮(せがれ)共に云聞せ。御主人と仰(あをぎ)なば。君是に隠れ給ふ事平家に洩(もれ)。捜(さが)し出されんは必定(ひつぢやう)。勿体(もつたい)なくも躮(せがれ)同然(どうぜん)に下モ様の御住居。いまだ躮も年シ若故。大将の器量(きりやう)いかゞ有んと試の今の手並(なみ)。骨にこたへし三人は今日より。主人と仰奉らさん為。皆某が申付ケ。最前ン帰りし手塚の太郎。我に斯(かく)と告(つげ)しらせしより参ン上せり。躮次郎四郎はいふに及ばず。是成ル三郎と申スは根の井の小弥太が躮。是も遁レぬ御家来筋。お目かけられ下さるべしと。いふに三人頭をさげ。先キ程よりの慮外(りよぐはい)我儘。まつ（90ウ）ひら御免と地にひれ伏恐れ。敬(うやま)ひ奉る。若君につこと打ゑみ給ひ。いしくもはかりし権(ごん)の頭(かみ)。御母葵諸共に此年月の介抱(かいほう)。礼は詞に述(のべ)

られず。我稚く共義賢が躮。追ッ付ヶ旗上平家を亡し。源氏一統の代となさんと思ふ折から。能キ良等を求
しぞや。今より主従中よし〳〵と。御悦びは限なし。
アレ聞たるか躮共。自然と備る寛仁大度。中よしと有お詞を直クに其儘御ン名に付ヶ。義は義賢の御譲。中
に当タつて敵を砕く。門出もよし吉左右〳〵。是より御名を木曽義仲。万々歳と祝する声。威光曦の登る
がごとく。朝日将軍義仲と武名を。〽四方に燿せり。
時も（91オ）こそ有レ手塚ノ太郎葵御前負参らせ。息を切てかけ付ヶ。只今麓騒しく心得すと馳参つて候へ
ば。紅の旗颯り押シ寄る軍兵。正しく君を討ッ手に向ふと相見へたり。御台所の御身も気遣しく。是迄伴
ひ参つたり。御用心とそ述にける。兼任騒ず。ヤア〳〵銘々うろたへる所でなし。敵何万騎寄セたり共此
木曽山の案内はしらじ。斯有んと思ひしより。汝等常々山に登し。其抜ヶ道は知ッつらんと。若君御台を伴
ひて。片かけにこそ忍ビゐる。

朝には。霧夕部には。雪踏分ヶる。行綱夫婦。ふしぎの命助りて。木曽の隠レ家我身にも隠れ陣笠陣羽織。待ッ宵姫も諸共に。男形リふりかいしよげに。うそ〱見廻し（91ウ）窺ふ体。手塚太郎きつと見付ヶ扨は討手の忍び者。仕廻てくれんと底工。コレ〱旅人。是から先キは大難所何お尋と立寄レば。是は幸ィ此方から尋たき子細は。権の頭兼任といふ御浪人ン此辺と聞つるが。早日も暮レて不案内住所はしらずか。ム、成程所は知ッてゐますが。シテ其許は何方から。イヤ某は都近ン辺ン兼任にかくまはれし人に用事有ッて参りしと云より早くヲ、合点と切付ヶる。コリヤ待テわつぱと抜ヶつくゞつつ突かくる腕首しつかと取。聊爾するなとせり合中チ。星影きらめく鎧通し火縄打ふり。ム、銘は金刺。若シそちは近江て生レし太郎吉ならずや。斯いふは蔵人行綱。ヤア父上かと詞の中より権の頭。コハめづらしき行綱（92オ）公有増様子承はる。いざ〱お出と義仲親子。絶て久敷キ対面に。悦び涙ぞ道理なる。行綱は心せかれ様子長々申に及ず。某義賢の仰に任せ後白河ノ院に宮仕。奪ひ出さんと存る折から事顕れ。

重盛に搦捕れ待ッ宵姫も其場で別れしに。故有ル方に身を隠し居て今の同道。又某は重盛の情にて。縄は赦せと詞で搦。年月を送クりし所に。源氏の運のひらくは爰。重盛熊野に大願ンこめ。終に命終リし故。最早平家に恩ンもなく。後白河の帝より。院宣を申受ケ宙をかけつて来りしと。首にかけたる錦の袋義仲に奉れば。

ハア、はつと押シ戴。是見よ旁日比の念願ン成就せり。（92ウ）いで打立んと御悦び。兼任ぞく〳〵小踊し。葵御前の懐中より源氏の白旗取出し。傍なる松の枝にかけ。先手始に寄手のやつばら追ちらさん。併味方は小勢也いかゞあらんと詞の中。次郎さかしく進出。夫はちつ共気遣なし。案内覚へぬ寄手のやつばら。某一人敵へかけ付ほうび次第に若君の案内せんとたばかり。大谷村のこなた成樋の口に待伏させ。すはといはゞ樋を切て軍勢共に泥水呑せ。一々に打殺さん。潔よし次郎殿。此四郎も川西の松原村幾尋となき野中の井戸。此木曽山の抜道と敵を偽そびき入。大盤石を井の内へ投入〳〵こな微塵鼠取よりいと安し。ヲ、サ此三郎太郎は此岨の。松かげに隠れゐて。銘々の片袖切（93オ）て旗差物松の。小枝にかけならべ。松林寺の鐃鈸鉢鯨波をどつと作るならば。案内知ぬ不覚の寄手驚騒は必定也。其間に次郎四郎も落合れよと心も剛にたくましき。勇士の子供ぞ頼もしき。

行綱大に感じ入。健気成子供の頓智。次郎とやらんが樋の口の謀は直に軍慮の手本。今よりは汝が名を樋口の次郎兼光。弟四郎が今井の内の計略。是も同じく今井の四郎兼平と名乗べし。手塚ノ太郎はいふに及ず術を廻らす伊達の三郎。木曽殿の四天王と末世迄も名を上よと。仰もいまだ終らぬに。麓にひゞく人馬の足音。サア四郎。サア次郎。合点と點き合麓をさしてかけり行。

程なく寄くる飛騨（93ウ）高橋。宇佐美ノ六郎同じく五郎何ンどゝいふ。平家に名有軍ン勢共雲霞のごとく馳参り。中にも高橋大音ン上。ヤア／＼旁　権ンの頭めが館をさがせど行方しれず。是より先キは不案ン内敵は小勢と油断すな。最前ンの柴かりわつぱ呼出せと。下知に従ひ次郎四郎お召シいかゞと手をつけば。其方共は所の案ン内しつつらん。此山を越ス道引せよ。木曽が悴(せがれ)を討チ取レば一廉(かど)の褒美(ほうび)くれん心得たるかといはせも果ず。成程此山奥へ逃ケ込ミし者共を慥に身請ケ候へ共。彼レ等は所の案内知。何国へぬけるもはかられず。我々両人に軍勢を指添られ下さらば。召シ捕(とる)は安い事。ナア四郎よ。我は井(94オ)の中おれは樋の口。両方から責(せめ)たらばたゞ取やうなうまい事と。皆迄いはせずうまい〳〵究竟(くつきやう)の謀(はかりこと)。然れば是に高橋飛騨様子を残らず見分ンせん。皆々は彼レに付。急げ〳〵とおろかの大将愚(おろか)の雑兵(ざうひやう)。四郎次郎を先に立手柄はしがちと進(すゝみ)行。是が此世の別れとは後に〳〵しられて不便なり。

時もうつさず。山の手に色々の旗指物。嵐に連レて颯(ひる)がへり。松林寺の鉦鐃鉢(どらねうはち)。一度にどつとときのこゑ。兼任行綱松かげに走リ廻り泊(とま)り烏(がらす)を追立れば。旗に恐れ鐘に恐ればた〳〵〳〵の羽音足音。高橋飛騨は膝わな〳〵。是なんじや隠し勢ごさんなれと刀をぬきはぬきながら。胸もすはらぬうろ〳〵(94ウ)眼(まなこ)だ。伊達(て)ノ三郎手塚太郎両方より追ッ取まき。ヤア〳〵高橋判官。義賢の忘れ筐(がたみ)初陣(うゐぢん)の晴軍(はれいくさ)勝負(しやうぶ)せよと呼はつたり。左衛門いらつて扨はさつきの倅（せがれ）めも一トつ穴（あな）の狐（きつね）共。ヱ、たばかられし残念ンと切ッてかゝるを事共せず。東西へこそ〳〵追ッて行。

兼任行綱跡見送クり小腕（うで）にて仕損（しそん）ぜんいでかけ行んといふ所へ。高橋飛騨は逃ケ帰り。向ふに行綱跡には手塚。三郎が追ッ取まいて切付クれば。刀も太刀も打落され御免ン〳〵と手を合す。ヱ、死損（ぞこな）ひのうつそりめとどうど蹴倒（けたを）し銘々が。膝（ひざ）に堅（かため）る向ふより。樋口兼平大木クに敵の首を指荷（さしにな）ひ。一人も残らす打殺し。門出よし義仲公といさみ立れば御（95オ）大将。飛騨高橋が首打落（おと）し。是より都へうつ立ッて平家の奴原（やつばら）一チ々にみな殺しと。行綱兼任待ッ宵葵御悦びは限（かぎ）りなし。四天王と呼（よば）れたる。樋口今井伊達手塚。揃（そろ）ひも揃ふ武勇（ぶゆう）の誉（ほまれ）名の誉レ。動（うご）かぬ君が末繁昌（はんじやう）千枝（ちえ）の柳に雪折なく。初冠（うゐかうむり）の子四天王。松の洛（みやこ）の万ン々歳（ざい）難波の。里ぞ栄（さか）へける

寛延弐年己十一月廿八日　作者 並木千柳
三好松洛（95ウ）

右之本頌句音節墨譜等令加筆候
師若鍼弟子如縷因吾儕所伝泝先師
之源幸甚　竹本義太夫高弟
予以著述之原本校合一過可為正本者
也　　竹田出雲掾清定

京二条通寺町西へ入丁　正本屋山本九兵衛版
大坂高麗橋二丁目　山本九右衛門版
江戸大伝馬町三丁目　鱗形屋孫兵衛版

解　題——源平布引滝

◎底本　早稲田大学演劇博物館（イ14-2-281）

◎体裁　半紙本一冊

◎表紙　原表紙

◎題簽　原題簽「待宵侍従／優美蔵人　源平布引滝　竹本義太夫直伝／山本九兵衛新板」

◎行・丁数　七行九五丁（実丁）

◎丁付　[布壱]～[布九十四]、[布九十五了]（ノド）

◎内題　待宵侍従／優美蔵人　源平布引滝

◎年記　寛延弐年巳十一月廿八日

◎作者　並木千柳・三好松洛（本文末）

◎奥書　有

◎版元　（京）山本九兵衛

（大坂）山本九右衛門

（江戸）鱗形屋孫兵衛

◎番付　有

番付の外題表記「待宵侍従（まつよひじじう）／優美蔵人（やさくらんど）　源平布引滝（げんぺいぬのびきのたき）」

◎絵尽　有

◎初演　寛延二年十一月二十八日　大坂竹本座

『義太夫年表　近世篇』第一巻二〇九頁参照

◎主要登場人物

後白河天皇	平盛の妻園生（ぬるでの局）
大納言成忠	木曽義賢
平清盛	義賢の妻葵御前
長田太郎末宗	義賢の娘待宵姫（小侍従）
難波六郎常俊	瀬尾十郎兼氏
平重盛	九郎助
高橋判官長常	九郎助女房小よし
多田蔵人行綱	小まん
越中次郎兵衛盛次	太郎吉（手塚太郎光盛）
盛次の妻桜木	駒王丸（木曽義仲）
上総五郎兵衛忠光	塩見忠太
忠光の妻若草	平宗盛
斎藤実盛（鏡研ぎ）	紅葉の局（常俊の妻）
平清盛の妻時子	木曽兼平
進野次郎宗政	権頭兼平
飛騨左衛門	伊達三郎
西光法師	今井兼平

◎梗概

［第二］

（大内）13頁2行目〜18頁10行目

第七十七代後白河帝の時代。平治の乱で源義朝を討った平清盛は、その功労者長田太郎末宗を使者として、義朝の首と源氏の白旗を後白河帝に奉る。帝は手厚く葬ることを命じ、白旗を、秘密裡に義朝の弟木曽先生義賢に与える。長田は、称美の言葉も所領も得られない不満を漏らし、清盛は、朝廷に背いた義朝を梟首にも処さない帝の決定に憤り、宮廷に乗り込む。昇殿を許されない身分の清盛は、大納言成忠らに咎められるが玉座に迫り、帝の怒りに触れる。しかし、清盛は、帝を鳥羽離宮へ幽閉すると激怒する。

（布引滝）19頁1行目〜26頁2行目

弁財天を信仰する清盛は霊夢を蒙る。平家の命運を占う神託を受けるため、平重盛や高橋判官長常の検分のもと、難波六郎常俊を、布引滝の滝壺深く潜らせる。その時矢が飛び来たり、重盛の袖を射抜く。弓矢を携えた狩人を捕らえるが、高橋の詰問に、狩人は逸れ矢を詫びる。重盛は、狩人を源氏の武士と察しながらも解放する。やがて難波が浮かび上り、専横を極める平家は、天の咎めを受け、一門の滅亡は目前であるとの神託を報告する。しかし、難波は口外した者は命を失うとも告げられたと明かす。折から激しい雷鳴が響き、おさまった後には、難波の引き裂かれた小手脛当が残るばかりで姿はなかった。重盛は、神託のとおり難波は最期を遂げたに違いないと嘆く。

（西八条平清盛館）26頁3行目〜38頁10行目

西八条の清盛館では、越中次郎兵衛盛次の妻桜木や上総五郎兵衛忠光の妻若草が、布引滝で最期を遂げたという難波の妻を気遣っている。そこへ強引に館に入り込んだ鏡研ぎが、「清盛の息がかかると鏡が曇る。それは清盛の横暴のため」と傍若無人に言い放つ。さらに、清盛の妻時子に対面を求め、わめき散らす。時子は子細を聞きたいと、鏡研ぎを奥の間へ招き入れる。

清盛が軍装を整え現れる。進野次郎宗政が、大納言成忠に西八条の館へ来るよう命じた旨を報告する。その内にも続々と武装した家来が集まる。清盛は、義朝、信頼を平定したにもかかわらず、昇殿さえ許されず、そのうえ、帝は、源氏の白旗を義賢に渡し、成忠と平家を亡ぼす密議をこらし、そこには源氏の残党多田蔵人行綱も加わっているとの噂を耳にした。このままには捨て置かれず、まず成忠を呼び寄せ究明し、こちらから攻め寄せると策を明かし、重盛には内密にと厳命する。越中や上総は、重盛の舅にあたる、成忠の捕縛に再考を願う。しかし、清盛は、聞き入れず、折からやってきた成忠に縄をかけ、平家打倒の陰謀白状を迫る。時子が清盛を諫め、先程の鏡研ぎ、実は斎藤市郎実盛が、重盛の意を伝え、憚ることなく諫める。清盛が、重盛の忠臣顔の諫言は片腹痛いと嘯くところへ、重盛の来訪が告げられる。清盛は慌てるが、重盛は案に相違して、院を攻める企てを思い止まるのは、期待外れと言い放つ。清盛は重盛の同心を喜ぶ。重盛は、実盛に成忠を自身の館に監禁することを命じ、子息成親を召し取ると引き上げる。

清盛が喜びのあまり小躍りするところへ、実盛が駆け戻り、この館に攻め来る軍勢あり、至急加勢をと願う。越中、上総をはじめ皆急ぎ出ていく。清盛が独りとなったところへ、攻め寄せるのは重盛の軍勢と知らされる。清盛は、智恵ある息子に謀られたと知る。さらに、帝の使者西光法師とともに重盛の妻園生が訪れ、忠孝ふたつの道を立てる夫重盛の心中を訴え、西光法師は、清盛の奮戦で逆臣がことごとく鎮圧されたことへの帝の喜びを伝える。重盛が、父清盛が逆臣を平定したと奏上したと知り、あきれ果てる。清盛は、平家に逆らう者はすべて討ち亡ぼす、源氏の根を断つまで追い詰めると、廊下の板敷を踏み破らんばかりに怒りを爆発させる。

［第二

（葵御前石山観音参詣・粟津親子地蔵茶店）39頁2行目～46頁9行目

義賢の妻葵御前は、安産祈願のため石山観音に参詣する。娘待宵姫も同道し、待宵姫と恋仲の奴折平が供をする。粟津親子地蔵の茶店まで来ると、待宵は痞を訴え後に残り、葵御前は気をきかせて折平に介抱を任せ、侍女たちと親子地蔵に参詣する。

平家の侍大将瀬尾十郎兼氏は、比叡颪に吹かれ泥田に落ちた絵馬を拾う。それは葵御前が辻堂に奉納した絵馬で、源氏の残党の動静を清盛に報告するため、持ち去ろうとするところ、折平と争いとなる。葵御前の仲裁で事なきを得る。

（白河木曽義賢館）46頁10行目～65頁7行目

多田蔵人行綱を匿っていた近江の百姓九郎助が、娘小まん、小まんと行綱との間に生まれた孫、太郎吉を伴い、義賢の館を訪れ、奴折平として館に仕える娘婿の暇を願い出る。折平と恋仲の待宵姫は折平に妻子があると知って驚く。

義賢は、折平こそ源氏の侍多田蔵人行綱と見破っており、折平に行綱宛の書状を持たせ、その反応をうかがっている。義賢は、戻った折平に、行綱の返事を聞きたいと尋ねるが、折平は行綱不在と言を左右する。義賢は書状の封印が切れていることを詰問する。義賢は、折平に白旗を示し、源氏再興の志を明かす。

清盛の使者高橋判官、長田太郎が白旗詮議のため、義朝の首桶を持参する。義賢は、白旗は帝のもとにあるはずとしらを切る。高橋らは、平家に味方するなら、義朝の首を足蹴にしてみよと迫る。争いの末、長田は斬られ、高橋は逃げ去る。やがて平家方が押し寄せる中、義賢は、後白河帝を奪い返すため、行綱と待宵姫を鳥羽離宮へ急がせ、懐妊中の葵御前を九郎助に、白旗を小まんに預け、平家の軍勢と奮戦の末、壮烈な最期を遂げる。

[第二]

(道行形見の寄生)66頁3行目~68頁8行目

木曽義賢の館を逃れ、懐妊中の葵御前を守る、九郎助、太郎吉の道行。逢坂の関、三井寺、打出浜、石場、膳所、勢田、矢橋、堅田浦、草津を過ぎ、小野原村の九郎助の住家をめざしたどり行く。

(矢橋)68頁9行目~70頁10行目

葵御前や九郎助とはぐれ、義賢から託された白旗を守る小まんは、平家の追手を逃れ、矢橋にたどり着く。小まんは、高橋判官の家来塩見忠太等に追い詰められ、琵琶湖に飛び込む。

(竹生島遊覧)71頁1行目~74頁10行目

父清盛の代参として竹生島に参詣した帰途、平宗盛の船に、源氏の残党詮議に出ていた斎藤実盛の小船が漕ぎ寄せる。同船の飛騨左衛門が実盛を引き留め酒宴となる。

湖の彼方から、白布を咥え、必死に泳ぐ女の姿が波間に見え隠れする。小まんである。実盛がとっさに櫂を投げ込み、小まんはそれを頼りに船に泳ぎ着く。しかし、助けられたのが平家の御曹司の船と聞き、小まんは顔色を変える。そこへ追手の船が近づき、女が持つのは源氏の白旗、逃がすなと迫る。実盛は、白旗を渡すまいとする小まんの腕を斬り落とす。白旗は小まんの腕とともに湖中に消えていく。

(九郎助住家)75頁1行目~93頁8行目

近江国小野原村の九郎助の住家に、葵御前が匿われている。九郎助の甥矢橋二惣太が、平家の侍瀬尾十郎の手先となり、様子を探りに来る。九郎助の女房小よしに追い払われる。

川に漁に出ていた九郎助と太郎吉が戻る。大きな獲物がかかったと取り出したものは、白絹を握り締めた女の片腕である。力まかせでは開かなかったその腕の指が、太郎吉が触れると何の苦もなく開く。握り締めていたのは、源氏の白旗であった。人々は小まんの安否を気遣う。そこへ、二物太の通報を受け、実盛と瀬尾が葵御前詮議にやって来る。葵御前が産気づいたと女房が知らせ、検分役の実盛は、生まれた子がたとえ男子であっても、女子と見せかける方策を考える。九郎助夫婦は何事か打合せる。赤子を包んだ錦の布を開くと、中には片腕、九郎助夫婦の苦肉の策であった。実盛が中国の故事を引いて言いくるめ、瀬尾は、ともかく清盛に報告すると立ち去る。

葵御前が姿を現し、実盛に礼を述べる。実盛は、もと源氏方であったことを明かし、白旗が平家の手に渡らぬよう、やむを得ず小まんの腕を斬り落とした経緯を語り、源氏に寄せる心情を語る。そこへ小まんの死骸が運び込まれる。実盛が、先程の腕に白旗を持たせ死骸に接いでみると、不思議なことに小まんが息を吹き返し、太郎吉に何事か言いかけて再び息絶える。小まんの意を察した九郎助は、小まんは実子ではなく、「平家なにがし」の書付と、金刺と銘のある小刀を添えて捨てられていた娘と語る。

その時、葵御前が無事に男子を出産する。その赤子駒王丸こそ、後の木曽義仲である。九郎助の願いで、実盛は太郎吉を手塚太郎光盛と名乗らせ、若君の家来に推挙する。しかし、葵御前は、母の小まんが平家方の娘とわかったからには、太郎吉が手柄を立てて後、家来にするという。

実盛の勧めに従い、葵御前と若君は信州諏訪に赴くこととなる。その時、始終を見届けた瀬尾が現れ、小まんの死骸を足蹴にする。怒った太郎吉は、母の形見の小刀で瀬尾の脇腹を刺し通す。すると瀬尾は、小まんの実の父親であると明かし、孫太郎吉の初手柄に、と自ら首を掻き落し凄惨な最期を遂げる。葵御前に、初手柄を認められ、侍となった太郎吉は、母の敵、と実盛に迫る。実盛は、太郎吉が成人の後、あらためて母親の敵として討たれようと約束し、「平家に注進」と駆け出す二物太を討ち取る。太郎吉は、綿繰馬に跨り、馬上の実盛に勇ましく名乗りかける。実盛はその気概を称え、戦場で再会する時には、白髪になっていても見違えることのないよう、鬢髭を墨で染め若やいで出陣しよう、坂東声（だみ声）の者の首を取ったなら、池水で洗ってみよ、見事敵を討てと言い残し、有明の月の残る中、九郎助の住家をあとにする。

[第四]

（鳥羽大路）94頁2行目～97頁9行目

鳥羽離宮に仕丁として仕える藤作、実は、帝を救い出そうと姿をかえた行綱である。ある日、清盛の供をし、狼藉者に襲われる。藤作が見事に取り押さえる。乗り物から姿を現したのは、清盛ではなく、重盛であった。重盛は父清盛の無道を案じ、鳥羽離宮に日参していた。取り押さえられた狼藉者は、平家の侍飛騨左衛門であった。重盛は、藤作の武勇にただの仕丁ではないと察する。

（鳥羽離宮）97頁10行目～113頁9行目

後白河帝が幽閉されている鳥羽離宮では、三人の仕丁、藤作（行綱）、又五郎（越中次郎兵衛盛次）、平次（上総五郎兵衛忠光）が紅葉を眺めるより、酒で温まりたいと話している。座敷では、三人の局、美しいが少々間の抜けたぬるでの局（園生の方）、小侍従（待宵姫）、紅葉の局（難波六郎の妻）が噂話に余念がない。小侍従は「忍べ」との意を込めた歌で藤作に合図する。皆が立ち去り、藤作と小侍従は帝奪還の方策を示し合わせて、小侍従は奥へ入る。

又五郎と平次が戻り、紅葉の枝を折って薪とし暖を取る。ぬるでの局が咎めるところへ、小侍従と紅葉の局が、下賜の酒を持参する。又五郎は泣き上戸、藤作は笑い上戸、平次は怒り上戸で、遂には皆酔いつぶれる。藤作が起き上がり、小侍従とともに帝救出に向かう。二人の仕丁も起き上がり、待ち受ける。

藤作は帝を救い出すが、重盛の計略により、難波六郎が身替りとなっており、帝はすでに重盛の館に移っていることが明らかとなる。無念に思う藤作の袖が一本の矢で射抜かれる。重盛が現れ、それは、布引滝で重盛を射た狩人の矢であると明かす。多田蔵人行綱（藤作・狩人）は覚悟を極め、縄にかかる。行綱は、木曽義賢と平家打倒を企てたが、義賢は最期を遂げた。その娘待宵姫を娶り、義賢の遺志を守り東国で兵衛左頼朝と挙兵を企んでいた。重盛は平家に敵対する者は、親子であっても許さぬ公平な処置を見せよう、と輿を開けると、重盛の妻園生の父大納言成忠が入れられている。清盛をなきものにしようと策をめぐらし、離宮に押し込められていたのである。輿に寄り添う園生（ぬるでの局）は、幽閉されたのは父親成忠、幽閉したのは夫重盛、子として、妻として、作り阿呆となるより術がなかった、と泣き崩れる。重盛は父の悪事を止め、忠孝ふたつを全うするための苦肉の策であったと明かす。越中次郎兵衛に行綱を、上総五郎兵衛に待宵姫を預ける。遠島に処される成忠には、時節を待つよう促す。やがて明けの鐘が響き、待宵姫と行綱は歌をかわし、それぞれにつきぬ別れを惜しむ。

[第五]

（木曽山中）114頁2行目～122頁9行目

十六、七歳を頭に、柴を刈っている子どもたち。太郎が山を下りた後、次郎、三郎、四郎が、初めての山仕事の少年をいじめようとして、かえって散々な目にあう。そこへ権頭兼任が来て、少年、実は木曽の若君駒王丸の力量を試そうとしたことと明かす。若君は木曽義仲と名乗る。太郎は手塚太郎光盛、次郎、四郎は兼任の息子で、樋口次郎兼光、今井四郎兼平、三郎は、根の井小彌太の息子伊達三郎、将来いずれも名高い木曽の四天王となる少年達である。行綱、待宵夫婦が、宣旨を携え来たり、木曽勢は勇み立ち、押し寄せる平家の軍勢を打ち破り、都を目指す。

◎補記

七行本校異本　早稲田大学演劇博物館蔵本（イ14-2-282）

十行本　早稲田大学演劇博物館蔵本（ニ10-01855）

・14頁2行目「伝（つた）る」十行本「つたはる」。
・52頁4行目「遣（つか）したる」十行本「つかはしたる」
・80頁8行目「譬（たと）源氏の」十行本「たとへ源氏の」

（川口節子）

義太夫節人形浄瑠璃上演年表（一七一六－一七六四）

一、この年表は、享保期から明和元年にかけて初演された義太夫節人形浄瑠璃作品について、上演年月と翻刻状況を中心に示したものである。

一、上演年月と外題は主に『義太夫年表　近世篇』八木書店に拠り、神津武男『浄瑠璃本史研究』八木書店を参照した。

一、同一の興行外題による再演（推定を含む）は、その正本の現存が『義太夫年表　近世篇』等で確認されているものを掲出した。

一、年表の座（所演）欄の略号は以下の通り。備考欄の「＊」は所演に係る注記事項。

豊：大坂豊竹座
竹：大坂竹本座
出：大坂伊藤出羽掾座
明：大坂明石越後掾座
陸：大坂陸竹小和泉座
北：大坂北本和泉座
宇：京宇治座
扇：京扇谷豊前掾座
外：江戸外記座
辰：江戸辰松座
肥：江戸肥前座
土：江戸土佐座
喜：竹本喜世太夫座
未：所演座未詳

一、翻刻欄には、第二次世界大戦後、『義太夫節浄瑠璃未翻刻作品集成』以前に刊行された翻刻書（原則として私家版および紀要等の雑誌に掲載されたものは除く）の有無について、以下の記号で示した。

▼：未翻刻
▲：未翻刻（戦前に翻刻あり）
▽：改題本または再演本で未翻刻（原作は翻刻あり）
×：正本の現存不明

一、翻刻欄または備考欄に記した翻刻書等の略号は以下の通り（丸文字は収録巻）。翻刻書が複数ある場合、近松門左衛門作品は『近松全集』岩波書店を、それ以外は最新刊を掲げた。なお、翻刻の会については、『同志社国文学』同志社大学国文学会に掲載された翻刻の一覧を年表末に付記することとした。

加賀：『古浄瑠璃正本集　加賀掾編』大学堂書店、一九八九～一九九三年
海音：『紀海音全集』清文堂出版、一九七七～一九八〇年
一風：『西沢一風全集』汲古書院、二〇〇二～二〇〇五年
義浄：『竹本義太夫浄瑠璃正本集』大学堂書店、一九九五年
旧全：『日本古典文学全集』小学館、一九七〇～一九七六年
旧大：『日本古典文学大系』岩波書店、一九五七～一九六七年
浄翻：『浄瑠璃正本翻刻集』国立劇場、一九八八年～
真宗：『大系真宗史料　伝記編4　真宗浄瑠璃』法藏館、二〇〇九年
新全：『新編日本古典文学全集』小学館、一九九四～二〇〇二年
新大：『新日本古典文学大系』岩波書店、一九八九～二〇〇五年
叢書：『叢書江戸文庫』国書刊行会、一九八七～二〇〇二年
近松：『近松全集』岩波書店、一九八五～一九九四年
半二：『日本古典全書　近松半二集』朝日新聞社、一九四九年
文流：『錦文流全集』古典文庫、一九八八～一九九一年
未戯：『未翻刻戯曲集』国立劇場、一九六七年～
近世篇：『義太夫年表　近世篇』八木書店、一九七九～一九九〇年
未翻刻：『義太夫節浄瑠璃未翻刻作品集成』玉川大学出版部、二〇〇六年～

年	月	座	外題	翻刻	備考
享保1	1	豊	八幡太郎東初梅	海音⑥	
	1頃	豊	鎌倉三代記	海音④	
	夏頃	豊	新板兵庫築島	海音④	
2	春	豊	傾城国性爺	海音③	
	2	竹	国性爺後日合戦	近松⑩	
	8	竹	鑓の権三重帷子	近松⑩	
	9	豊	照日前都姿	×	
	10以前	豊	八百屋お七	海音③	
	10	喜	八百屋お七恋緋桜	▼	＊江戸
	11	竹	聖徳太子絵伝記	近松⑩	
3	1	竹	山崎与次兵衛寿の門松	近松⑩	
	2	竹	日本振袖始	近松⑩	
	3	喜	八百屋お七恋緋桜付リ後日	▼	＊江戸
	7	竹	曽我会稽山	近松⑩	
	8	豊	傾城吉原雀	×	
	10	竹	日蓮上人記	×	
	10	竹	傾城酒呑童子	近松⑩	
	11以前	豊	山椒太夫葭原雀	海音④	
	11	豊	今様賢女手習鑑	×	
	11	竹	博多小女郎波枕	近松⑩	
	12	竹	善光寺御堂供養	近松⑭	
4	1	豊	義経新高館	海音④	
	2	竹	本朝三国志	近松⑪	
	5	豊	神功皇后三韓責	海音⑤	
	8	豊	頼光新跡目論	海音⑤	
	8	竹	平家女護島	近松⑪	
	8	辰	八百屋お七江戸紫	▼	
	10	豊	業平昔物語	▽	『河内通』加賀④の改題
	11	竹	傾城島原蛙合戦	近松⑪	
	この年	豊	笠屋三勝二十五年忌	×	『二十五年忌』海音⑥の別本
	この年	喜	熊野権現烏午王	文流㊦	＊大坂曽根崎芝居
	この年	喜	竜宮東門阿波鳴戸	×	＊大坂曽根崎芝居
5	1	豊	鎮西八郎唐土船	海音⑤	
	3	竹	井筒業平河内通	近松⑪	
	8	竹	双生隅田川	近松⑪	

年	月	座	作品	所収	備考
	9	豊	日本傾城始	海音⑤	
	11	竹	日本武尊吾妻鑑	近松⑪	
	12	竹	心中天の網島	近松⑪	
	この年	竹	河内国姥火	▲	未翻刻二⑬
6	1	豊	三輪丹前能	海音⑤	
	2	竹	津国女夫池	近松⑫	
	5	豊	伏見常盤昔物語	×	
	7	竹	女殺油地獄	近松⑫	
	閏7	豊	呉越軍談	海音⑥	
	8	竹	信州川中島合戦	近松⑫	
	10	豊	富仁親王嵯峨錦	海音⑥	
7	1	竹	唐船噺今国性爺	近松⑫	
	1	豊	大友皇子玉座靴	海音⑥	
	1	辰	重井筒難波染	▽	『心中重井筒』近松⑤の改題 近世篇〈補訂篇〉参照
	3	竹	浦島年代記	近松⑫	
	4	豊	心中二ツ腹帯	海音⑥	
	4	竹	心中宵庚申	近松⑫	
	6	辰	心中二つ腹帯	▽	『心中二ツ腹帯』海音⑥の改題

年	月	座	作品	所収	備考
	9	竹	仏御前扇車	近松⑭	
	11	豊	東山殿室町合戦	海音⑦	
	顔見世	豊	坂上田村麿	海音⑥	近世篇参照
8	1	豊	玄宗皇帝蓬莱鶴	海音⑦	
	1	未	花毛氈二つ腹帯	×	＊江戸『心中二ツ腹帯』海音⑥の改題
	2	竹	大塔宮曦鎧	近松⑭	
	5	豊	記録曽我玉笄髷	▼	未翻刻二⑭
	7	豊	井筒屋源六恋寒晒	一風④	
	7	豊	傾城無間鐘	海音⑦	
	11	豊	建仁寺供養	一風④	
	11	竹	桜町昔名花	×	
9	1	竹	関八州繋馬	近松⑫	
	2	豊	頼政追善芝	一風④	
	7	竹	諸葛孔明鼎軍談	叢書⑨	
	10	豊	女蝉丸	一風⑤	
	11	竹	右大将鎌倉実記	▲	未翻刻一⑪
10	1	豊	昔米万石通	一風⑤	
	3	豊	南北軍問答	一風⑤	
	5	豊	身替⿰弓亞張月	一風⑤	

年	月	座	外題	印	備考
	5	竹	出世握虎稚物語	▲	未翻刻一①
	6	竹	復鳥羽恋塚	▽	『一心五戒魂』義浄㊤の改題
	9	竹	大内裏大友真鳥	叢書⑨	
	10	豊	大仏殿万代石楚	一風⑤	
11	2	豊	曽我錦几帳	▼	未翻刻二⑮
	4	豊	北条時頼記	一風⑥	
	9	竹	伊勢平氏年々鑑	▲	未翻刻一④
12	1以前	外	頼政追善芝	▽	『頼政追善芝』一風④の江戸上演
	1	竹	敵討御未刻太鼓	▲	未翻刻二⑯
	2	豊	清和源氏十五段	▼	未翻刻一⑥
	4	竹	七小町	叢書⑨	
	8	竹	三荘太夫五人嬢	叢書⑨	
	8	豊	摂津国長柄人柱	叢書⑩	
13	2	豊	尊氏将軍二代鑑	▼	未翻刻一⑤
	3	竹	工藤左衛門富士日記	▲	未翻刻一③
	5	豊	南都十三鐘	▼	未翻刻二⑰
	5	竹	加賀国篠原合戦	叢書⑨	
	この頃	豊	頼政扇の芝	▽	『頼政追善芝』一風④の改題
14	1	豊	後三年奥州軍記	叢書⑩	
	2	竹	尼御台由比浜出	▼	未翻刻三㉓
	6	竹	新板大塔宮	×	『大塔宮曦鎧』近松⑭の改題
	8	竹	眉間尺象貢	▲	未翻刻五㊸
	9	豊	藤原秀郷俵系図	▼	未翻刻一②
	11	竹	京土産名所井筒	▼	未翻刻一⑦
15	1	豊	蒲冠者藤戸合戦	▼	未翻刻三㉔
	2以前	竹	梅屋渋浮名色揚	▼	未翻刻二⑱
	2	竹	三浦大助紅梅靮	叢書㊳	
	5	豊	本朝檀特山	▲	未翻刻三㉕
	8	竹	信州姨拾山	▲	未翻刻一⑧
	8	豊	楠正成軍法実録	▼	未翻刻二⑲
	11	竹	須磨都源平躑躅	▲	未翻刻一⑩
16	1	豊	源家七代集	▼	未翻刻二⑳
	4	豊	和泉国浮名溜池	▼	未翻刻二㉑
	6	豊	酒呑童子枕言葉	×	『酒呑童子枕言葉』近松⑥の豊竹座上演
	9	竹	鬼一法眼三略巻	▲	未翻刻一⑨

年	月	座	外題	印	備考
	9以前	豊	殺生石	海音④	
	9以前	豊	忠臣青砥刀	海音⑦	
	9以前	豊	本朝五翠殿	海音④	
	9以前	豊	浄瑠璃古今序	海音④	
	9以前	豊	金平法問諍　忠臣身替物語	▽	『今様かしは木忠臣身替物語』義浄㊤の改題
	10	豊	赤沢山伊東伝記	▼	未翻刻一⑫
17	4	豊	八百屋お七恋緋桜	▽	『八百屋お七』海音③の改題
	4	竹	増補用明天王	▼	未翻刻七(72)
	5	豊	今様傾城反魂香	▼	未翻刻八(73)
	6	竹	伊達染手綱	▽	『丹波与作待夜のこむろぶし』近松⑤の改題
	9	竹	壇浦兜軍記	旧全㊺	
	9	豊	待賢門夜軍	▼	未翻刻四㉝
	10	豊	忠臣金短冊	叢書⑩	
	12	出	前内裏島王城遷	▼	未翻刻七(63)
18	2	豊	お初天神記	▽	『曽根崎心中十三年忌』海音⑦の改題
	4	竹	車還合戦桜	▲	未翻刻三㉖
	4	豊	鎌倉比事青砥銭	▲	未翻刻二㉒
	6	竹	景事揃	×	
	7	竹	重井筒容鏡	▽	『心中重井筒』近松⑤の改題
	7	豊	莠伶人吾妻雛形	▼	未翻刻五㊹
19	2	竹	応神天皇八白幡	叢書㊳	
	5以前	辰	伊勢平氏年々鑑	▽	『伊勢平氏年々鑑』未翻刻④の江戸上演
	5以前	辰	傾情山姥都歳玉	▼	未翻刻六(53)
	5以前	辰	西行法師墨染桜	▽	『西行法師墨染桜』文流㊤の江戸上演
	6	豊	曽我昔見台	▼	未翻刻三㉗
	8	豊	那須与一西海硯	叢書⑪	
	10以前	未	契情我立杣	▼	＊江戸　未翻刻八(74)
	10	竹	芦屋道満大内鑑	新大(93)	
20	1	竹	元日金歳越	▲	未翻刻三㉘
	2	豊	南蛮鉄後藤目貫	×	写本（八種）が伝存　叢書⑪底本は演博本『南蛮銅後藤目貫』
	5	豊	万屋助六二代禊	▲	未翻刻三㉙
	8	豊	苅萱桑門築紫𨏍	▲	未翻刻四㉞

年	月	座	外題	印	翻刻・備考
	9	竹	甲賀三郎窟物語	叢書㊳	
元文1	2	竹	赤松円心緑陣幕	▼	未翻刻五㊺
	2	竹	天神記冥加の松	×	
	3	豊	和田合戦女舞鶴	叢書⑪	
	5	竹	十二段長生島台	×	
	5	竹	敵討襤褸錦	▲	未翻刻六(54)
	10	竹	猿丸太夫鹿巻毫	叢書㊳	
	この頃	未	今様東二色	▼	＊江戸 未翻刻四㉟
2	1	豊	安倍宗任松浦簦	▲	未翻刻五㊻
	1	竹	御所桜堀川夜討	叢書㊳	
	1	竹	菅丞相冥加松梅	×	『浄瑠璃本史研究』参照
	7	豊	釜渕双級巴	▲	未翻刻四㊱
	10	竹	太政入道兵庫岬	▼	未翻刻五㊼
3	1	竹	行平磯馴松	叢書㊳	
	4	豊	丹生山田青海剣	▲	未翻刻四㊲
	8	竹	小栗判官車街道	叢書㊵	
	10	豊	茜染野中の隠井	▲	未翻刻六(56)
4	2	豊	奥州秀衡有髻壻	未戯③	
	4	竹	ひらかな盛衰記	旧大(51)	未翻刻八(75)

年	月	座	外題	印	翻刻・備考
	8	豊	狭夜衣鴛鴦剣翅	新大(93)	
5	2	豊	鶊山姫舎松	叢書⑪	
	4	豊	本田義光日本鑑	▲	未翻刻五㊽
	4	竹	今川本領猫魔館	▲	未翻刻八(76)
	7	竹	将門冠合戦	▲	未翻刻七(64)
	9	豊	武烈天皇艤	▲	
	11	竹	追善百日曽我	×	
	11	竹	恋八卦柱暦	▽	『大経師昔暦』近松⑨の改題（戦前に翻刻）
寛保1	1	竹	伊豆院宣源氏鏡	▲	未翻刻七(65)
	3	豊	本朝斑女簦	▼	
	5	竹	新うすゆき物語	新大(93)	
	5	豊	青梅撰食盛	▼	未翻刻八(82)
	7	豊	播州皿屋舗	叢書⑪	
	9	豊	田村麿鈴鹿合戦	▼	未翻刻四㊳
2	2	竹	花衣いろは縁起	▼	未翻刻四㊴
	3	豊	百合稚高麗軍記	▼	未翻刻四㊵
	3	肥	石橋山鎧襲	▼	未翻刻四㊶
	4	竹	室町千畳敷	▽	『津国女夫池』近松⑫の改題（戦前に翻刻）

	7	竹	男作五雁金	叢書㊵	
	8	豊	道成寺現在蛇鱗	叢書㊲	
	9	豊	鎌倉大系図	▼	未翻刻五(49)
3	3	豊	風俗太平記	▼	
	4	竹	入鹿大臣皇都諍	▼	未翻刻六(56)
	5	竹	丹州爺打栗	▼	未翻刻三㉚
	8	豊	久米仙人吉野桜	叢書㊲	
延享1	3	竹	児源氏道中軍記	▼	未翻刻六(57)
	3	肥	義経新含状	▲	未翻刻八(77) 改題本『後藤伊達曠』が戦前に翻刻
	4	豊	潤色江戸紫	▲	
	9	豊	柿本紀僧正旭車	▼	未翻刻七(66)
	11	竹	ひらかな盛衰記	▽	近世篇参照
	11	竹	八曲筐掛絵	▼	未翻刻七(72)
	12	豊	遊君衣紋鑑	▼	未翻刻六(58)
2	1	明	三軍桔梗原	▼	
	2	竹	軍法富士見西行	叢書㊵	
	2	豊	詩近江八景	▼	未翻刻八(78)
	3	未	萬葉女阿漕	×	写本（一種）が伝存 未翻刻七(67)

	4	明	延喜帝秘曲琵琶	▼	
	5	豊	増補大仏殿献礎	▼	未翻刻六(59)
	7	竹	夏祭浪花鑑	旧大(51)	
	8	豊	浦島太郎倭物語	▼	未翻刻八(79)
	閏12	陸	唐金茂衛門東鬘	▼	
3	1	竹	楠昔噺	叢書㊵	
	5	竹	追善仏御前	×	『仏御前扇車』近松⑭の改題
	5	竹	追善重井筒	▽	『心中重井筒』近松⑤の改題
	5	豊	酒呑童子出生記	▼	未翻刻五㊿
	7以前	竹	博田小女郎思洮	▽	『博多小女郎波枕』近松⑩の改題
	8	陸	歌枕棣棠花合戦	▼	未翻刻七(68)
	8	竹	菅原伝授手習鑑	旧全㊼	
	10	陸	女舞剣紅楓	▼	未翻刻六(60)
	11	豊	花筏巌流島	▼	未翻刻八(80)
4	2	豊	裙重紅梅服	▼	
	2	陸	鎮西八郎射往来	▼	
	2以降	陸	氷室地大内軍記	×	
	3	豊	万戸将軍唐日記	▼	

	7	豊	悪源太平治合戦	▼	
	8	竹	傾城枕軍談	▼	未翻刻三㉛
	10	肥	いろは日蓮記	▼	未翻刻四㊷
	11	竹	義経千本桜	新大(93)	
寛延1	1	豊	容競出入湊	未戯⑫	
	7	豊	東鑑御狩巻	▼	未翻刻七(69)
	8	竹	仮名手本忠臣蔵	新全(77)	
	9	宇	住吉誕生石	▼	
	11	豊	摂州渡辺橋供養	叢書㊲	
2	3	豊	八重霞浪花浜荻	浄翻①	
	4	竹	粟島譜嫁入雛形	▼	未翻刻五(51)
	7	辰	粟島譜利生雛形	×	『粟島譜嫁入雛形』未翻刻(51)の改題
	7	豊	華和讃新羅源氏	真宗	
	7	豊	なには五節句操大踊	×	
	7	竹	双蝶蝶曲輪日記	新全(77)	
	10	肥	日蓮記児硯	▽	『いろは日蓮記』未翻刻㊷の改題
	11	豊	物ぐさ太郎	▼	未翻刻五(52)
	11	竹	**源平布引滝**	旧大(52)	未翻刻八(81)

3	3	豊	手向八重桜	浄翻①	
	6	豊	夏楓連理枕	▼	
	8	肥	新板累物語	▼	未翻刻六(61)
	8頃	豊	傾城買指南	▼	未翻刻八(82) 『浄瑠璃本史研究』参照
	11	竹	文武世継梅	▼	未翻刻六(62)
宝暦1	1	豊	玉藻前曦袂	▼	未翻刻七(70)
	2	竹	恋女房染分手綱	▼	未翻刻七(71)
	4	豊	浪花文章夕霧塚	▼	
	7	竹	仕合丸浪花入船	×	
	7	豊	頼政扇子芝	▽	『頼政追善芝』一風④の改題
	8	肥	八幡太郎東海硯	▼	
	10	豊	日蓮聖人御法海	未戯⑩	
	10	竹	役行者大峰桜	叢書⑭	
	12	豊	一谷嫩軍記	▲	未翻刻三㉜
	この頃	肥	親鸞聖人絵伝記	×	
2	2	竹	名筆傾城鑑	▼	
	5	竹	世話言漢楚軍談	▼	
	7	肥	太平記枕言	▼	

年	月	座	外題	備考	注
	11	竹	伊達錦五十四郡	▼	
	12	豊	倭仮名在原系図	▼	
3	5	竹	愛護稚名歌勝関	叢書⑭	
	7	豊	雄結勘助島	▼	
4	1	竹	菖蒲前操弦	▲	
	2	豊	相馬太郎孝文談	▼	
	4	竹	小袖組貫練門平	▼	
	7	豊	義経腰越状	▼	
	10以前	竹	太平記曦鎧	▽	＊京『大塔宮曦鎧』近松⑭の改題
	10	竹	小野道風青柳硯	叢書⑭	
	10頃	竹	恋女房染分手綱	▽	＊京
	12	豊	天智天皇苅穂庵	▼	
5	4	豊	三国小女郎曙桜	▼	
	6	竹	庭涼座鋪操	▼	
	7	豊	双扇長柄松	▼	
	7	竹	庭涼操座鋪	▼	
	11	竹	拍子扇浄瑠璃合	▼	
	11	竹	年忘座鋪操	▼	
6	2	竹	崇徳院讃岐伝記	▼	

年	月	座	外題	備考	注
	3	豊	義仲勲功記	▼	
	5	竹	業平男今様井筒	▽	＊京『京土産名所井筒』未翻刻⑦の改題
	10	竹	平惟茂凱陣紅葉	▼	
	閏10	豊	甲斐源氏桜軍配	▼	
	この年	豊	和田合戦女舞鶴	▽	近世篇参照
7	1	豊	写偭足利染	▼	
	2	竹	姫小松子の日遊	▼	
	3	豊	前九年奥州合戦	▼	
	7	肥	泉三郎伊達目貫	▼	
	9	竹	薩摩歌妓鑑	▼	
	12	豊	祇園祭礼信仰記	叢書㊲	
	12	竹	昔男春日野小町	▼	
8	3	竹	敵討崇禅寺馬場	▼	
	8	肥	聖徳太子職人鑑	▼	
	8	竹	蛭小島武勇問答	▼	
9	2	竹	日高川入相花王	未戯⑦	
	3	豊	芽源氏鶯塚	▼	
	5	豊	難波丸金鶏	▲	
	9	竹	太平記菊水之巻	叢書⑭	

年	月	座	作品名		備考
	10	竹	楠正行軍略之巻	×	＊京『太平記菊水之巻』叢書⑭の改題
	12	豊	先陣浮洲巌	▼	
10	3	豊	桜姫賤姫桜	▼	
	7	竹	極彩色娘扇	▼	
	11	竹	年忘座舗操	×	＊大坂曽根崎新地芝居
	12	豊	祇園女御九重錦	叢書㊲	
11	1以前	竹	浪花土産年玉操	×	＊京
	1	竹	安倍清明倭言葉	▼	
	3	豊	八重霞浪花浜荻	▽	＊大坂曽根崎新地芝居 近世篇参照
	5	竹	由良湊千軒長者	▼	
	5	豊	曽根崎模様	▼	＊大坂曽根崎新地芝居
	9	豊	人丸万歳台	▼	
	9頃	豊	下総国累蟲	×	近世篇〈補訂篇〉参照
	10	竹	冬籠難波梅	×	
	11	竹	古戦場鐘懸の松	▼	
12	2	豊	三好長慶碓軍談	▼	
	3	竹	花系図都鑑	▼	
	閏4	豊	岸姫松轡鑑	▼	

年	月	座	作品名		備考
	6	竹	夏景色浄瑠璃合	×	
	夏	未	忠臣五枚兜	×	写本（一種）が伝存 『浄瑠璃本史研究』参照
	9	竹	奥州安達原	半二	
13	3	豊	洛陽瓢念仏	▼	
	4	竹	山城の国畜生塚	叢書⑭	
	4	竹	天竺徳兵衛郷鏡	未戯⑤	
	4	豊	新舞台咲分牡丹	▼	
	7	豊	新舞台扇子錦木	▼	『浄瑠璃本史研究』参照
	8	竹	御前懸浄瑠璃相撲	×	
	12	豊	馬場忠太紅梅箙	▼	
	宝暦年中	竹	あづま摂恋山崎	×	
	宝暦年中	竹	天神記恵松	▽	『天神記』近松⑧の改題
	宝暦末頃	未	鉐石川五右衛門	×	＊京 『浄瑠璃本史研究』参照
明和1	1	土	吉野合戦名香兜	▼	
	1	北	須磨内裏𢏸弓勢	▼	
	1	竹	傾城阿古屋の松	▼	
	3	外	増補姫小松子日の遊四段目	▼	『浄瑠璃本史研究』参照
	4	豊	官軍一統志	▼	

4	肥	祇園祭金閣寺小袖之鏡	×	
4	竹	京羽二重娘気質	▲	
夏	肥	乱菊枕慈童	×	『浄瑠璃本史研究』参照
7	竹	敵討稚物語	▲	
8	外	明月名残の見台	×	
8	扇	増補女舞剣紅葉	▼	
9	外	菊重薫月見	×	
10	豊	嬢景清八島日記	▼	近世篇参照
11	豊	二ツ腹帯	▽	近世篇〈補訂篇〉参照
11	竹	江戸桜愛敬曽我	×	
12	竹	冬桜咲分錦	×	近世篇〈補訂篇〉参照
12	豊	いろは歌義臣蓌	▲	

（義太夫節正本刊行会）

［付記］翻刻の会（同志社大学）による翻刻一覧

享保13　尊氏将軍二代鑑　『同志社国文学』五七・六〇・六二
元文5　武烈天皇艤　『同志社国文学』六四・六六
寛保1　本朝斑女簔　『同志社国文学』四〇
寛保3　風俗太平記　『同志社国文学』三七
延享1　潤色江戸紫　『同志社国文学』九二・九三
延享4　悪源太平治合戦　『同志社国文学』七〇・七五
宝暦2　名筆傾城鑑　『同志社国文学』四五・四六
宝暦8　聖徳太子職人鑑　『同志社国文学』九六・九八
宝暦11　曽根崎模様　『同志社国文学』四一・四三
明和5　よみ売三巴　『同志社国文学』八二
明和6　振袖天神記　『同志社国文学』八八・九〇
寛政9　会稽多賀誉　『同志社国文学』七四・七七

義太夫節浄瑠璃未翻刻作品集成（第8期）81

源平布引滝

2025年2月25日　初版第1刷発行

編者 ―――――― 義太夫節正本刊行会

発行者 ―――――― 小原芳明

発行所 ―――――― 玉川大学出版部

〒194-8610 東京都町田市玉川学園6-1-1
TEL 042-739-8935　FAX 042-739-8940
http://www.tamagawa.jp/up/
振替 00180-7-26665

装丁 ―――――― 松田洋一（原案）・しまうまデザイン

印刷・製本 ――― 創栄図書印刷株式会社

乱丁・落丁本はお取り替えいたします。

ISBN978-4-472-01703-2 C1091 / NDC912